9782082100915

LES TACTIQUES
DE CHRONOS

Conversations avec le sphinx : les paradoxes en physique, Paris, Albin Michel, coll. « Sciences d'aujourd'hui », 1991 ; Le Livre de Poche, 1994.

La Quête de l'unité : l'aventure de la physique, avec M. Lachièze-Rey, Paris, Albin Michel, coll. « Sciences d'aujourd'hui », 1996 ; Le Livre de Poche, 2000.

Le Temps et sa flèche, avec M. Spiro (dir.), Paris, Flammarion, coll. « Champs », 1996.

L'Atome au pied du mur et autres nouvelles, Paris, Le Pommier, coll. « Romans & plus », 2000.

L'Unité de la physique, Paris, PUF, coll. « Science, histoire et société », 2000.

Moi, U235, atome radioactif, Paris, Flammarion, 2001.

Le temps existe-t-il ?, Paris, Le Pommier, coll. « Les petites pommes du savoir », 2002.

Petit voyage dans le monde des quanta, Paris, Flammarion, coll. « Champs », 2004.

Il était sept fois la révolution Albert Einstein et les autres..., Paris, Flammarion, 2005.

Étienne Klein

LES TACTIQUES
DE CHRONOS

FLAMMARION

© Éditions Flammarion, Paris, 2004.
ISBN : 2-0808-0105-8

À Paul et à Jules,
dont les jeunes rires fleurissent les rivages du temps.

SOMMAIRE

Introduction 11

I.   L'horloge est-elle si parlante ? 19
II.   Le mot « temps » ou l'embarras des dictionnaires 25
III.   Un fleuve qui ne coule pas de source.... 35
IV.   Les temps d'avant Chronos 39
V.   L'arrêt du temps ou l'abolition du monde. 45
VI.   Avec le temps, tout ne s'en va pas......... 51
VII.   L'ennui ou le temps mis à nu 59
VIII.   Qu'est-ce qui fait passer le temps ? 67
IX.   L'éternel retour ou les vices du cercle.... 73
X.   La causalité ou l'impossible tac-tic 85
XI.   « Voyages » dans le temps et autres uchronies 93
XII.   L'antimatière ou la fin du voyage.......... 99
XIII.   1905 : le « maintenant » fait ses adieux à l'Univers.. 111
XIV.   L'avenir existe-t-il déjà dans le futur ?... 121
XV.   Le temps fait-il flèche de tout bois ?........ 125

XVI.	La bande des kaons met le temps sens dessus dessous	137
XVII.	2002 : le temps cosmique s'accélère-t-il ?.	147
XVIII.	Du temps… seulement de temps en temps ?	157
XIX.	Danse des supercordes et valse à plusieurs temps	163
XX.	Théories cherchent origine du temps, désespérément	173
XXI.	Esprit chronoclaste, donc montre utile.	181
XXII.	Infinis déploiements de l'instant présent..	189
XXIII.	L'inconscient ou le temps privé de cours	195
XXIV.	Le physicien, le romantique et le jaloux ou les drames de l'impossession	201
XXV.	La physique aurait-elle oublié la mort ?....	205
Bibliographie		217

INTRODUCTION

Les historiens des sciences s'accordent sur un point : le véritable coup d'envoi de la physique « moderne » fut la découverte de la loi de la chute des corps par Galilée. Mais pas de célébration possible puisque, jusqu'à tout récemment, nul ne connaissait la date exacte à laquelle Galilée avait fait sa découverte. On savait seulement que cette loi n'apparaissait pas dans son ouvrage de 1590, *Sur le mouvement*, mais qu'elle était très clairement formulée dans le fameux *Dialogue des deux principaux systèmes du monde*, publié en 1632. Deux livres séparés par plus de quarante ans, durant lesquels Galilée a laissé une montagne de notes scientifiques, qu'il n'a pas datées.

Au printemps 2002, des physiciens de l'Institut de physique nucléaire de Florence sont parvenus à déterminer d'une façon très astucieuse la date approximative à laquelle Galilée a pour la première fois énoncé sa célèbre loi. En envoyant un faisceau de protons sur ses notes, ils ont mesuré les teneurs en fer, en cuivre, en zinc et en plomb de l'encre [1]. Ils ont ainsi pu établir

---

1. Lorsqu'ils interagissent avec la matière, les protons émettent des rayons X dont le spectre en énergie renseigne sur la nature et la concentration des différents éléments chimiques en présence.

11

que l'encre utilisée par Galilée, lorsqu'il a transcrit la première loi de la chute des corps, venait du même lot que celle d'écrits de comptabilité datés, eux, de 1604. La physique a ainsi contribué à l'écriture de sa propre histoire, avec une précision suffisante pour que nous puissions enfin célébrer l'anniversaire de sa naissance. En 2004, elle aura quatre siècles tout ronds.

C'est cette découverte de Galilée qui allait ouvrir les portes de la physique au temps et bouleverser la représentation que les hommes s'en faisaient. Jusqu'alors, le temps était surtout pensé dans son rapport avec les activités quotidiennes. Il servait essentiellement aux hommes de moyen d'orientation dans l'univers social et de mode de régulation de leur (co)existence, en conformité avec le cours global des événements terrestres. Le Pisan, lui, parvint à déterminer le statut qu'il fallait accorder au temps pour rendre possible la mesure du mouvement et fonder une véritable science de la dynamique. Étudiant la chute des corps, il finit par découvrir que si le temps, plutôt que l'espace parcouru, était choisi comme variable, alors la chute des corps dans le vide obéissait à une loi fort simple : la vitesse acquise est proportionnelle à la durée de la chute et indépendante de la masse et de la nature du corps (un kilo de plomb choit exactement comme une tonne de fer). Résultat capital, puisqu'il venait contredire la théorie d'Aristote sur le mouvement, laquelle postulait depuis deux lancinants millénaires que la vitesse de chute était d'autant plus rapide que le corps était massif. Résultat qui consacrait aussi la première mathématisation du temps sur laquelle Newton viendrait un peu plus tard fonder sa mécanique. La nouvelle loi de la chute des corps fit ainsi chuter le vieux *corpus* qui faisait loi [1].

Cette histoire a une morale (une chute !) : certaines découvertes scientifiques ont suffisamment de portée pour défaire des pans entiers d'un système philosophique dominant. Elle démontre aussi que la physique moderne et le temps ont partie liée. Ce qui ne revient pas à dire que la physique, juchée sur quelque Aventin de la Connaissance, est *la* science du temps, ni qu'elle jouit d'une quelconque préséance lui permettant d'imposer ce qu'il convient d'en penser, mais qu'il y a manifestement entre elle et lui une affinité singulière, une complicité féconde : depuis que Galilée a apprivoisé le temps en en faisant une variable mathématique, la physique ne cesse de dire à son propos des choses que nous ne pourrions deviner sans elle.

Quatre siècles se sont écoulés depuis Galilée, pendant lesquels la Terre a beaucoup tourné autour du

---

1. Pour mettre à mal la théorie d'Aristote, Galilée n'a sans doute pas eu besoin de lâcher des objets du haut de la tour de Pise. Il lui a suffi de remarquer, grâce à une expérience de pensée, que cette théorie était intrinsèquement contradictoire : prenons deux boules, une grosse et une petite plus légère ; selon Aristote, la grosse boule tombe plus vite que la petite ; relions maintenant les deux boules par une corde ; l'ensemble qu'elles forment étant plus lourd que la grosse boule, il tombera *plus vite* qu'elle ; mais on peut tout aussi bien déduire de la loi d'Aristote que la petite boule freinera la chute de la grosse, de sorte que l'ensemble tombera *moins vite* que la grosse boule. Deux raisonnements tirés de la même loi aboutissent donc à deux conclusions contradictoires (ce qui est un comble pour une loi inventée par le père du principe du tiers exclu…). La seule façon d'éliminer ce paradoxe est d'affirmer que toutes les boules tombent de la même façon, quelle que soit leur masse…

Soleil : la physique en a profité pour prendre le temps de se construire, puis de se consolider, avant d'enchaîner les révolutions à une cadence d'essuie-glaces, surtout au XXe siècle : relativité restreinte d'Einstein, physique quantique, relativité générale, découverte des forces nucléaires, de l'antimatière, de l'expansion de l'Univers… Autant de glissements de terrain dans la prairie des concepts fondamentaux.

Tous ces bouleversements ont remis en cause, chacun à sa façon, le statut antérieur du temps. Au bout du compte, le temps physique a perdu un peu de sa pureté supposée et beaucoup de son indépendance : il s'est retrouvé insécablement lié à l'espace, associé à l'énergie, ancré dans la matière. À dire vrai, c'est à peine si l'on parvient à reconnaître le bon vieux temps, désormais impliqué dans d'improbables liaisons qui métamorphosent son identité. Mais aucune de ces liaisons n'est restée sans descendance : chaque fois qu'elle a dû approfondir sa conception du temps, la physique a augmenté son efficacité opératoire, investi des champs vierges, découvert de nouveaux phénomènes. Comme si tout progrès dans la théorisation du temps se traduisait par d'immédiats dividendes. C'est pour résoudre un problème relatif au temps que des théoriciens des années 1930 ont été amenés à prédire l'existence… de l'antimatière ! Le temps serait-il vraiment devenu la « grande affaire » de la physique ? Parviendra-t-elle un jour à en saisir la substantifique moelle ? Il est encore trop tôt pour répondre.

Cependant, une chose est sûre : lorsqu'il est question du temps, la physique contemporaine pulvérise les lieux communs, ébranle les vulgates, ouvre l'horizon. Dopée par de récents succès en physique des particules et en cosmologie, elle n'hésite pas à « jouer » avec le temps, à formuler d'audacieuses hypothèses – celle de sa discontinuité ou de sa pluralité, par exemple – qui paraîtraient folles si de puissants arguments d'ordre théorique ne permettaient de les envisager. Ainsi réactive-t-elle d'inusables questionnements, qu'elle éclaire d'un jour nouveau, en même temps qu'elle en formule d'autres, inédits. Le temps est-il apparu « en même temps » que l'Univers ou l'a-t-il précédé ? Comment s'est-il mis en route ? Qui lui a donné la chiquenaude initiale ? Est-il dans le monde ou le contient-il ? En quoi consiste ce temps dont on dit qu'il s'écoule alors qu'il est toujours là, ce temps qui ne change pas mais qui fait tout changer ? Quel est son véritable rapport aux choses ? Existe-t-il indépendamment de ce qui survient, se transforme, s'use, vieillit, meurt ? Les fameux « trous de ver » sont-ils vraiment des machines à voyager dans le temps ? En quoi la théorie des supercordes bouleverse-t-elle notre représentation de l'espace et du temps ? Quelles sont les convergences entre temps physique et temps vécu ?

Certaines de ces questions, jusque-là dévolues à la seule métaphysique, se trouvent aujourd'hui posées dans le champ même de la physique. Ce glissement donne, semble-t-il, des arguments à ceux qui pensent qu'un nouvel Einstein pourrait bientôt acquérir une intelligence complète et définitive du temps. Pareille illusion ou méprise ne vient pas de nulle part. Les conquêtes de la physique contemporaine sont telles qu'elles alimentent l'espoir de pouvoir, un jour, conclure à propos de certaines « grandes » questions, notamment celle de la nature du temps.

En attendant, le temps mathématisé des physiciens – le seul « vrai » à leurs yeux – a peu à voir avec l'idée commune de temps. De là à penser que le temps passe son temps à ruser et à nous abuser, ou que nous passons notre temps à le confondre avec nos perceptions des phénomènes temporels, il n'y a qu'un pas… Nous recouvrons le temps de propriétés fallacieuses qui, en définitive, le masquent. Aussi le premier objectif de ce livre sera-t-il de dénoncer les tactiques des *tic-tac* de nos montres, par lesquelles le temps dissimule sa véritable nature : en se montrant, en réalité, il se cache. Car cet acteur-là fait surtout jouer des doublures.

En effet, le temps risque toujours d'être identifié aux phénomènes qu'il contient. Or ce qui s'écoule *dans* le temps n'est pas la même chose que *le* temps lui-même. Ce sont les phénomènes qui, dans leur déroulement, habillent le temps de leurs propres attributs : le changement, le devenir, le mouvement, la répétition, la succession, la mort… Le temps ne doit pas être confondu avec les divers déploiements qu'il rend possible. Comme disait Minette, l'un des personnages de Balzac, c'est plutôt un « grand maigre » [1].

C'est donc à de petits exercices de déconstruction, à une sorte d'effeuillage du temps que nous voulons nous consacrer. Notre démarche sera dans un premier temps apophatique, comme disent les philosophes : nous chercherons à circonvenir le temps en disant ce qu'il n'est pas. Comment ? En se penchant d'abord sur

---

1. Cette expression, attribuée à Minette, mystérieuse danseuse au Vaudeville, est rapportée par Lousteau, personnage des *Illusions perdues* (Honoré de Balzac, *Illusions perdues*, Paris, GF-Flammarion, 1990, p. 56).

notre langage, souvent fatigué : près d'un siècle après les travaux d'Einstein, nous parlons du temps pratiquement de la même manière qu'avant Galilée. Comme si la physique moderne n'avait jamais existé. Ensuite, en débusquant les paradoxes cachés sous le tapis des habitudes, en débarrassant le temps de toutes les temporalités phénoménales qui lui donnent son épaisseur et qui finissent par se sédimenter dans notre façon de parler de lui. Puis nous interrogerons la physique pour tenter d'isoler ses propriétés intrinsèques, celles qui font que le temps est le temps et qui ne sauraient lui être retirées sans jeter le bébé avec l'eau du bain. Ce qui, par effet de miroir, nous en apprendra sur la manière de travailler des physiciens : sont-ils du côté d'Héraclite et du devenir ou de Parménide et de l'être immobile ?

Au bout du compte, le temps pourrait ne plus du tout se ressembler.

L'HORLOGE EST-ELLE SI PARLANTE ?

Vous n'avez pas fini de m'empoisonner avec vos histoires de temps ? C'est insensé ! Quand ! Quand !

Samuel Beckett, *En attendant Godot*

Je fais appel à tous les amants de l'heure exacte.

Edgar Poe

Le temps, pour nous, est une sorte d'évidence familière, un être clair, une réalité qui va de soi. Nous le devinons toujours là, en nous, autour de nous, secret, silencieux, mais constamment à l'œuvre, dans cette feuille qui tombe, cet enfant qui naît, ce mur qui s'écaille, cette bougie d'anniversaire qu'on souffle, cet amour qui commence, cet autre qui pâlit. Ces phénomènes, tous bien réels, ne constituent-ils pas autant de manifestations tangibles du temps ? L'expérience commune semble suffire pour ne jamais douter de son existence. Le temps ne s'exhibe-t-il pas déjà, tout simplement, sur les cadrans de nos montres ?

Voyez cette aiguille qui avance autour de son axe : ne nous présente-t-elle pas le temps tel qu'il est, pratiquement nu, presque pur, par le biais du défilé circulaire des heures, des minutes et des secondes ? Ou, pour reprendre les mots (toujours un peu compliqués) de Martin Heidegger, n'est-ce pas dans « la présentification de l'aiguille qui avance [1] » que le temps se donne à voir de la façon la plus limpide ? Une montre, c'est un objet qui, par définition et par finalité, montre autre chose que lui-même. Que montre une montre ? Du temps, bien sûr ! répondent sans hésitation ni murmure ceux qui ont la langue bien « pendule ». Pourtant, si l'on veut bien s'interroger un instant, cette prétendue mise en présence du temps dans tout ce qui relève de l'horlogerie ne va pas de soi.

En effet, que montrent *vraiment* les horloges, ces objets si quotidiens, si familiers, dont les aiguilles symbolisent à nos yeux le temps en acte ? Elles rendent visible un mouvement des aiguilles, c'est chose certaine. Mais ce mouvement régulier, qui suppose certes un déploiement du temps, qui l'actualise même dans l'espace, nous l'identifions un peu trop rapidement au temps lui-même. Comme s'il était tout entier là, dans les tic-tac qui égrènent son défilement. De cette tactique nous ne demeurerons pas dupes.

Une horloge donne l'heure, nous sommes bien d'accord, elle passe même ses heures à ne faire que cela, mais elle ne montre rien de ce qu'est le temps en amont de ce processus d'actualisation. Elle dissimule plutôt le temps derrière le masque convaincant d'une mobilité parfaitement régulière. En l'habillant de mouvement, elle le déplace : le temps devient un

1. Heidegger, *L'Être et le Temps*, trad. François Vézin, Paris, Gallimard, 1986, § 81.

avatar de l'espace, une doublure de l'étendue. Mais le mouvement se confond-il avec le temps ? C'est plutôt un camouflage du temps, ou un ersatz, d'ailleurs facile à identifier : lorsqu'une horloge tombe en panne, ses aiguilles s'immobilisent sans empêcher le temps de continuer à s'écouler. L'arrêt du mouvement n'équivaut pas à l'arrêt du temps : un objet immobile est tout aussi temporel qu'un objet en mouvement.

Oui, dira-t-on, mais toute horloge est également un chronomètre : elle permet de mesurer des durées. Donc du temps ? Voire. Remarquons d'abord que toute durée est un « objet » fort étrange, et même mystérieux : à la différence d'une longueur, son équivalent spatial, une durée n'est jamais présente *in extenso* puisqu'elle est constituée d'instants qui ne coexistent pas. C'est une quantité jamais entièrement là, intégralement déployée devant nous. Nous pouvons la parcourir, la vivre, nous pouvons aussi la mesurer grâce à une montre, mais aucune durée n'est vraiment montrable ni saisissable en elle-même.

Mesurer une durée, est-ce donc mesurer du temps ? Nous dirons plutôt que le temps est seulement ce qui permet qu'il y ait des durées. Il crée de la continuité dans l'ensemble des instants. Or la mesure d'une durée ne fait nullement apparaître le temps qui l'a fabriquée. Elle ne dévoile rien du mécanisme mystérieux par lequel, sitôt apparu, tout instant présent disparaît pour laisser place à un autre instant présent, qui lui-même se retirera pour faire advenir l'instant suivant.

Le temps est précisément ce mécanisme-là, cette machine à produire en permanence de nouveaux instants. Ce moteur intime, ce souffle caché au sein du monde, par lequel le futur devient d'abord présent, puis passé. Il est cette force secrète par laquelle demain « glisse » jusqu'à devenir aujourd'hui, en fixant précisément les délais impartis pour cette opération quotidiennement répétée. Toute durée n'advient jamais que par l'effet d'une poussée qui ne connaît pas de répit.

En somme, toute horloge déguise le temps en un mélange de mouvement et de durée qu'elle nous incite à confondre avec lui. « Simulations » du temps ? Dissimulations plutôt. Étrange aiguille qui avance en ne montrant rien de ce qu'elle symbolise à nos yeux. *Le temps loge hors de l'horloge.* Plus précisément, il n'y a guère plus de temps à voir à l'intérieur qu'à l'extérieur d'une montre, pour la simple raison qu'il ne s'exhibe nulle part de façon directe : ce temps qui fabrique la succession des instants, nous ne l'avons jamais vu, jamais senti non plus, ni entendu ni touché. Il ne se livre jamais comme un phénomène brut. Nous ne percevons en réalité que ses effets, ses œuvres, ses atours, ses avatars, qui peuvent nous tromper sur sa nature.

L'histoire nous apprend que la mesure des durées est bien antérieure à l'élaboration du concept de temps physique. Plusieurs millénaires séparent l'invention des premières horloges, qui fut elle-même laborieuse, de celle du temps newtonien. Très souvent, on imagine que la mesure des durées n'a jamais pu se faire que par le biais d'instruments inanimés, comme les cadrans solaires, les sabliers, les clepsydres ou les horloges mécaniques. Or il est arrivé qu'on utilise aussi des animaux. Ainsi, sur l'une des parois de la tombe de Toutankhamon, pharaon de la

XVIIIᵉ dynastie (vingt-sept siècles avant Galilée !), vingt-quatre babouins sont représentés, qui figurent la ronde des heures. Les anciens Égyptiens avaient en effet remarqué que cet animal avait la particularité d'uriner de manière assez régulière, à peu près toutes les heures. Ils prirent donc sa vessie pour une pendule.

Mais c'est sans doute dans les monastères occidentaux que le « pli du temps » a véritablement pris racine : aux variations de la vie séculière la règle opposait sa discipline de fer, rythmant la vie monacale d'une façon qui laissait peu d'espace à la fantaisie. Ainsi, dès le VIIᵉ siècle, c'est-à-dire bien avant l'apparition des premières horloges mécaniques, au XIIIᵉ siècle, une bulle du pape Sabinien avait décrété que les cloches des monastères, qui utilisaient en général une clepsydre associée à un marteau, devaient sonner sept fois par vingt-quatre heures. Ces ponctuations régulières de la journée constituaient les heures canoniques, marquant les moments consacrés à la dévotion [1] : matines (prière

---

1. Quand une certaine durée s'était écoulée, le marteau tombait sur une cloche en bronze en faisant grand bruit. Mais ces minuteurs avaient les inconvénients de toutes les horloges à eau : leur débit variait avec la température et la pression atmosphérique, sans parler des périodes de gel, responsables de grasses matinées certainement involontaires… Quant aux premiers sabliers, apparus au XIVᵉ siècle, leur précision laissait à désirer : le sable, même fin, finissait par éroder le récipient en verre et accélérait ainsi son propre écoulement. On s'est longtemps borné à utiliser les sabliers pour équilibrer le temps des gardes des châteaux forts, avant qu'ils deviennent les garants mondialisés de la bonne cuisson des œufs à la coque.

nocturne), laudes (une heure avant le lever du soleil), prime (première heure du jour), tierce (milieu de la matinée), sexte (midi), none [1] (milieu de l'après-midi), vêpres (coucher du soleil) et enfin complies (une heure après le coucher). Peu à peu, cette discipline de l'horloge se diffusa des monastères aux villes. À partir du XIVe siècle, les tours d'horloge, énormes Meccano de fer et de cuivre, sonnaient les heures dans les bourgs, synchronisant les activités humaines et sociales, apportant une régularité jusqu'alors inconnue dans la vie des artisans et des marchands. Mais durant les deux longs siècles qui suivirent, le passage du temps, bien que dûment et précisément mesuré, n'intervint pas lui-même de façon quantitative dans l'étude des phénomènes naturels. Le spectacle des horloges ne permit donc pas, à lui seul, l'émergence du temps physique dans l'esprit des hommes [2].

C'est que le temps a beau être sous-jacent à toutes choses, il ne se laisse vraiment voir dans aucune. Il reste enfoui sous chacune de ses apparences. C'est là sa grande originalité : invisible, même aux rayons X, il ne daigne jamais se livrer comme un objet empirique. Pourtant, la langue ne cesse de l'invoquer, tel un être familier, alors que nul ne l'a vu face à face et qu'il ne fait jamais signe.

---

1. Entre le XIIIe et le XVe siècle, none « remonte » à midi, vêpres en début d'après-midi.
2. Voir à ce propos le livre de Norbert Elias, *Du temps*, Paris, Fayard, 1997.

LE MOT « TEMPS »
OU L'EMBARRAS DES DICTIONNAIRES

> *Ce dont on ne peut parler, c'est cela qu'il faut dire.*
>
> Valère Novarina

> *Chassez l'héroïsme, il revient à vélo.*
>
> Louis Nucéra

Chacun entend tacitement de quoi l'on parle lorsqu'on parle du temps. Qui ne croit même le connaître intimement ? Nul besoin d'être Kant, Einstein ou Heidegger pour s'autoriser à y aller de son avis d'expert, pour mettre en avant sa propre conception de la chose. Eh oui ! On appartient à la condition humaine, on a son expérience à soi et cela suffit, pense-t-on, pour évoquer la question du temps. Alors on colporte de vieux truismes, on recycle des idées-momies, on élève au rang de pensée collective de simples bruissements de buvette.

C'est que, portée par l'usage, bercée par la culture, émoussée par l'habitude, la notion de temps semble d'accès facile, du moins regardée de loin. Les philosophes ont beau la présenter depuis toujours comme une terrible épreuve de la pensée, l'équivalent du col de l'Izoard pour un pur sprinter, nous nous laissons abuser par ses allures de colline. Confiants dans la pertinence de nos lieux communs, nous croyons pouvoir la gravir sur un vieux vélo rouillé, sans piqûres spéciales ni entraînement préalable, avec dans la gourde une simple tisane de bonnes sœurs.

Puis, un beau jour, au détour d'une réflexion un peu plus appuyée ou d'une rêverie mal contrôlée, tout finit par s'écrouler : nos idées s'agitent dans le vide et, bouche bée, nous restons collés au bitume. Arc-boutés sur les pédales, l'air un peu bêta, nous saisissons que nous ne comprenons rien au temps, que c'est un véritable Annapurna, que sa familiarité vient seulement de l'habitude et non d'une élucidation. En un éclair, nous découvrons que son opacité demeure, mystérieuse et fondamentale.

Alors, pris de vertige, nous nous raccrochons au premier piton à notre portée : le vocabulaire. Le temps n'est-il pas d'abord – et au moins – un mot ? Oui, mais son sens ne semble pas solidement fixé dans le granit : est-il synonyme de simultanéité, comme dans l'expression « il fait toujours deux choses en même temps » ? Renvoie-t-il à l'idée de succession, comme dans la phrase « le temps viendra où ce livre sera fini » ? À celle de durée, comme dans « l'auteur a manqué d'un peu de temps – oh, pas de beaucoup – pour achever l'écriture de son ouvrage » ?

De fait, le même mot englobe confusément trois concepts distincts, la simultanéité, la succession et la durée, et permet ainsi de dire tout à la fois le changement, l'évolution, la répétition, le devenir, l'usure, le

vieillissement, peut-être même la mort. Pareilles ambiguïtés perturbent ceux qui attendent que le sens des
mots jaillisse, univoque, des mots eux-mêmes.

Pascal disait du mot temps qu'il est un mot « primitif », au sens où il fait partie de ces termes si fondamentaux qu'il serait impossible – et de toute façon
inutile – de les définir [1]. On pourrait lui objecter
qu'existent de multiples définitions du temps, certaines qu'il connaissait : « le temps est l'image mobile
de l'éternité immobile » (Platon), ou bien « le nombre
du mouvement selon l'avant et l'après » (Aristote) ;
d'autres plus récentes : « ce qui passe quand rien ne se
passe » (Giono), ou bien ce qui fait que toute chose
réelle est en train d'être… Mais – et c'est ce qui donne
raison à l'auteur des *Pensées* – toutes ces prétendues
définitions du temps, en fait, n'en sont pas : ce ne sont
que des images, des tautologies, des déplacements,
puisque toutes présupposent, en amont d'elles-
mêmes, l'idée de temps (vieille question logique :
comment fonder les fondamentaux ?). À la proliféra-
tion du signifié, elles répondent par l'éparpillement
des métaphores. Mais, comme disait Montaigne, « on
ne fait là qu'échanger un mot pour un autre mot, et
souvent plus inconnu [2] », de sorte que l'essentiel du
temps se trouve laissé dans la pénombre du langage.
Croyant parler du temps, on parle d'autre chose,

1. « Le temps est de cette sorte. Qui le pourra définir ? Et
pourquoi l'entreprendre, puisque tous les hommes conçoivent
ce qu'on veut dire en parlant de temps, sans qu'on le désigne
davantage. » (Blaise Pascal, *Pensées*, « De l'esprit géométrique »,
éd. Louis Lafuma, in *Œuvres Complètes*, Seuil, 1963, frag. 169.)
2. Montaigne, *Essais*, III, XIII, éd. Villey, Paris, PUF, 1978,
p. 1069.

comme si on ne pouvait l'aborder qu'en empruntant des biais plus lumineux que lui.

Le mot temps est également « primitif » au sens où, pour dire le monde et ce qui s'y passe, nous avons impérativement besoin de ce poisson-pilote de l'intelligibilité. Comment pourrions-nous percevoir un objet, dire un événement, exprimer une émotion, raconter une histoire sans les configurer dans une trame temporelle ? Supprimer le mot temps de notre vocabulaire reviendrait à nous coudre la bouche. Il suffit de voir l'immense place qu'il occupe en littérature et en philosophie, dans les sciences et dans la poésie, et surtout dans la chanson populaire, celle qui nous rappelle que la vie est brève, nos amours éphémères et la mort certaine, pour le cas où, distraits par trop de joies, nous l'aurions oublié. Toute une poétique du temps – et sans doute une métaphysique – pourrait être tirée de la simple liste des occurrences du mot « temps » dans la langue de tous les jours aussi bien que dans les œuvres de Shakespeare, Dante, Goethe ou Proust. Reste que ce simple mot, où se déposent les expériences les plus différentes, ne dit rien de la nature du temps. En apparence, il est aussi banal que les mots « pain » ou « table », mais cette proximité familière ne résiste pas longtemps.

Il y a plus de quinze siècles, saint Augustin avait déjà noté ce paradoxe dans une phrase tellement citée et si souvent commentée qu'elle paraît éculée : « Quand on ne me le demande pas, je sais ce qu'est le temps ; quand on me le demande, je ne le sais plus [1]. »

1. Saint Augustin, *Confessions*, livre XI, trad. L. de Mandadon, Paris, Seuil, 1982, p. 123.

Reste qu'en effet, si je me propose d'élaborer un discours répondant à la question de la nature du temps, mon propos s'effondre ou s'effiloche à peine l'ai-je entamé. Si je persiste, alors je dois affronter un double phénomène pour le moins étrange : premièrement, le temps n'est pas un objet au sens usuel du terme (il ne procède pas du même type de réalité qu'une chaise) ; deuxièmement, le langage semble mis en échec devant la nécessité d'en parler. Or cette exigence existe puisque le temps fait partie des questions qui nous provoquent, qui semblent surgir d'elles-mêmes sous nos crânes inassouvis.

Pour parler du temps, nous avons souvent recours à des phrases toutes faites, qui recèlent presque toujours des ambiguïtés. Lorsque je dis que « je n'ai pas le temps », je veux signifier que j'ai d'autres obligations, que je ne dispose pas de la durée nécessaire pour faire ce qui m'est demandé. Mais si je ne dispose pas de la durée dont j'ai besoin, n'est-ce pas précisément parce que le temps, en passant, limite et contraint mon emploi du temps ? Si je n'ai pas le temps, n'est-ce pas parce qu'il y a… du temps ? Avec « le temps me pèse », je signale que je suis en train de vivre un moment pénible ou insignifiant, en somme que le temps me semble vide. Est-ce à dire que le temps est doté d'une masse d'autant plus grande qu'il serait moins rempli, à l'inverse des objets mécaniques ? En disant que « j'ai tué le temps comme j'ai pu », j'avoue que j'ai cherché à m'affranchir d'un temps qui s'était abattu sur moi comme une chape de plomb. Est-ce à dire que le temps serait un être vivant, vivace même, qu'on préférerait parfois mort ? Curieuse prétention que celle-là : n'est-ce pas lui qui, d'habitude, nous tue ?

L'expression la plus stéréotypée, celle qui pulvérise tous les records d'utilisation, consiste à dire que le temps « passe ». Mais cette formule ne constitue-t-elle pas déjà un abus de langage ? Qui contesterait que le temps est ce qui fait que toute chose passe ? Mais en déduire que c'est le temps lui-même qui passe, c'est se fourvoyer. La succession des trois moments du temps (futur, présent, passé) ne signifie pas que le temps se succède à lui-même. Eux passent, lui non. N'est-ce pas justement du fait de sa présence constante que les choses ne cessent de passer ? Il y a bien une paradoxale immobilité du temps : à l'intérieur de l'écoulement temporel lui-même, on discerne la présence d'un principe actif qui demeure et ne change pas, que les philosophes ont d'ailleurs été capables de reconnaître. Heidegger, pour ne citer que lui, affirmait que « le temps lui-même en l'entier de son déploiement ne se meut pas et est immobile et en paix [1] ». Cette immobilité qui agit au sein même du temps se perçoit bien lorsqu'on examine le statut du présent, qui est contradictoire : nous disons que le présent passe, puisqu'il n'est jamais strictement le même, et aussi qu'il ne passe pas, puisque nous ne quittons un instant présent que pour en retrouver un autre. Le présent est donc à la fois éphémère et persistant : toujours là mais pas toujours identique à lui-même, son avènement imbrique contradictoirement la permanence et le changement.

En somme, en disant que le temps passe, on confond l'objet et sa fonction. Or c'est bien la réalité tout

1. Martin Heidegger, *Acheminement vers la parole*, Paris, Gallimard, 1976, p. 200.

entière qui « passe », et non le temps lui-même, qui ne cesse jamais d'être là. On doit donc saluer ici la clairvoyance de Ronsard :

« Le temps s'en va, le temps s'en va, Madame,

Las le temps non, mais nous nous en allons [1]. »

Le temps n'est peut-être rien de plus en effet qu'une redondance de la réalité en devenir. Nous reviendrons longuement sur cette question.

Dire que le temps passe, c'est aussi affirmer, au moins implicitement, qu'« il » existe : il passe, donc il est. Cette expression toute banale attribue au temps le statut d'un être indépendant des choses et des processus. Parler de la sorte, c'est donc lui offrir une promotion ontologique qui vient cautionner l'aise avec laquelle nous parlons du temps en général alors même que son autonomie n'a jamais cessé de faire débat parmi les philosophes.

Il semble, en définitive, que les mots n'aient pas d'accès direct au temps : ils ne font que graviter autour de lui en le voilant. Une contrepèterie élémentaire le dit d'ailleurs fort bien : le *mot « temps »* n'est qu'un *manteau* (même pour les *Ottomans*). Alors, pour faire sentir ce qu'est le temps au-delà du mot qui le désigne, nous pourrions nous inspirer de la recette proposée par Wittgenstein dans ses *Investigations philosophiques*, ses « jeux de langage » censés nous délivrer de l'ensorcellement exercé par certains mots en nous montrant directement ce

---

1. Un proverbe chinois dit à peu près la même chose : « Pour les hommes, c'est le temps qui passe ; pour le temps, ce sont les hommes qui passent. »

le temps est un mot "primitif"

qu'ils représentent. Dans l'un de ces jeux, un maître maçon enseigne le métier à un apprenti, auquel il cherche vainement à faire comprendre ce qu'est une brique. Il en décrit la matière, la forme, la couleur, mais toujours sans succès. En fin de compte, il prend une brique dans sa main, la désigne du doigt et dit : « une brique, c'est cela [1] ! » Simple recette, sans nul doute très efficace lorsqu'il s'agit d'une brique, mais si le maître avait voulu faire comprendre à son apprenti ce qu'est le temps, qu'aurait-il bien pu mettre dans sa main ? Rien de concret, d'où une frustration certaine.

On peut tenter de se persuader que cette frustration n'en est pas vraiment une, qu'on ne doit éprouver aucun manque au motif qu'un mot primitif n'a pas d'autre signification que celle que lui donnent les usages qu'on en fait. Il devient dès lors inutile de se poser la question d'une vérité qu'il détiendrait ou masquerait. Cette stratégie ne manque pas d'arguments. Le langage n'est-il pas habité par une ambiguïté fondamentale ? Ne permet-il pas de tout dire, le vrai comme le faux, le bien comme le mal ? Loin de révéler la réalité du monde, les mots ne renvoient peut-être qu'à d'autres mots, interminablement. Du coup, ils lévitent au-dessus des choses qu'ils désignent sans jamais les atteindre, de sorte qu'il faudrait cesser

1. Wittgenstein a donné de multiples variantes de cette façon de penser les choses. Par exemple, cette proposition n° 268 dans *De la certitude* : « "Je sais que cela, c'est une main. – Et qu'est-ce qu'une main ? – Eh bien, *cela,* par exemple." » (Ludwig Wittgenstein, *De la certitude*, Paris, Gallimard, coll. « Tel », 2000, p. 77).

d'interroger ce qui vit ou gît sous eux, consentir à ce qu'ils ne reflètent pas une réalité donnée à l'avance, à ce qu'ils soient juste des outils pour caresser le monde en causant.

Mais sommes-nous capables de résister à la tentation de comprendre ce que cachent les mots ? Pour forer le monde, nous disposons d'abord et surtout du verbe, qui provoque nos esprits autant qu'il les formate. Si nous butons toujours sur les mêmes questions, qui occupaient déjà les Grecs, n'est-ce pas parce que le langage, demeuré pratiquement inchangé, nous dirige toujours vers elles, par un effet d'ensorcellement, en quelque sorte ? Tant qu'il y aura un verbe être qui semblera fonctionner comme fonctionnent manger et boire, tant qu'il y aura des mots comme temps, espace, chose, vide, tant qu'il y aura les adjectifs vrai, faux, réel, possible, nous viendrons heurter encore et toujours les mêmes difficultés, les mêmes énigmes, et contemplerons ce dont aucune explication ne semble pouvoir venir à bout. Ainsi va la pensée, dont le « paradoxe suprême et magnifique », pour parler comme Kierkegaard, est de persister à vouloir découvrir ce qui n'est pas toujours à sa portée.

Même s'ils sont impuissants à dire explicitement le monde, même s'ils ne prennent pas appui sur un « déjà là », les mots possèdent une vertu exclusive : ils indiquent, annoncent, ouvrent des voies. Ce sont des mystères tentateurs. Grâce à eux, la pensée revient défaire, dénouer, inlassablement. Elle n'abandonne jamais. Même quand elle perd le fil entre signifiant et signifié, même à court de combustible, elle trouve toujours une bonne métaphore qui vient à sa rescousse.

Pour le temps, c'est le fleuve, porté par l'éloquence spontanée du naturel, qui a proposé le premier ses services.

UN FLEUVE QUI NE COULE PAS DE SOURCE

*Chaque jour est un Rubicon où j'aspire à
me noyer.*

Cioran

« Le temps est un fleuve fait d'événements [1]... »,
notait Marc Aurèle, empereur et néanmoins philosophe
averti, à moins que ce ne soit l'inverse. Cette métaphore,
qui associe implicitement le temps à l'idée d'écoulement,
n'a pas pris la moindre ride. Deux millénaires plus tard,
San Antonio appelle sa montre une « dégoulinante » et
nous demeurons tous imprégnés de l'idée que le temps
est une sorte de liquide qui « s'écoule » de son plein gré.
Tellement imprégnés, d'ailleurs, que nous ne la discu-
tons jamais (c'est le propre de la *doxa* que de donner
pour vérité un *a priori* et d'habiller un coup de force en
procès-verbal). En signifiant que le présent change constamment, comme l'eau qui s'écoule, cette idée ne tra-
duit-elle pas de simples évidences ?

1. Marc Aurèle, *Pensées*, IV, 43, dans *Les Stoïciens*, trad.
É. Bréhier, Paris, Gallimard, coll. « Bibliothèque de la Pléiade »,
p. 1166.

35

Un fleuve n'est jamais identique à lui-même puisqu'il est fait d'éléments constamment renouvelés. Ce constat vaut pour nous. Nous aussi, nous « coulons » : chaque seconde qui passe nous propulse dans un monde nouveau et dans un moi inédit. Il est donc tout à fait possible d'avancer, avec Héraclite, que la seule chose qui ne change pas, c'est la propriété qu'ont les choses et les êtres de changer, de sorte que rien ne peut demeurer identique à soi-même. Dans cette perspective, le changement et l'impermanence expriment paradoxalement une loi intemporelle : toujours à l'œuvre, ils manifestent de l'éternité. Et ils font surgir ce questionnement : quel est donc cet ordre sous-jacent ou immanent qui gouverne des réalités perpétuellement mobiles ? Pourtant, et de façon finalement très surprenante, notre façon de parler du temps comme d'un fleuve prend systématiquement le parti inverse : elle l'associe à la labilité, à la mouvance. C'est le temps qui s'écoule, expliquons-nous, pas le monde ni nous-mêmes.

Cette façon de dire n'est pas neutre puisqu'elle hypostasie l'idée même de temps en lui attribuant, de façon implicite, certaines propriétés qu'il ne possède pas nécessairement. Il convient donc de débusquer quelques-uns des *a priori* clandestins que charrie le fleuve en s'écoulant.

D'abord, si le temps était tel un fleuve, quel serait son « lit » ? Par rapport à quoi s'écoulerait-il ? Que seraient ses « berges » ? Comme on voit, l'idée d'écoulement postule subrepticement l'existence de quelque réalité intemporelle dans laquelle passerait le temps. Celui-ci se retrouve étrangement « rivé » à son contraire, comme habillé de « non-temps ».

Ensuite, dans le cas du fleuve, on connaît le moteur de l'écoulement. C'est la gravité : l'amont étant plus élevé que l'aval, l'eau s'écoule toujours dans le même sens, du haut vers le bas. Mais qu'est-ce qui fait couler le temps ? Nulle gravité n'entre ici en jeu. Hier, aujourd'hui et demain sont des moments équivalents du temps. Ils sont en quelque sorte à la même « altitude ». Le cours du temps ne procède donc pas d'une sorte de chute. Mais alors, qu'est-ce qui pousse le présent à s'écouler vers le futur (à moins que ce ne soit le futur qui vienne vers nous) ?

Enfin, dire que le temps s'écoule à la manière d'un fleuve suppose qu'il a par rapport à ses hypothétiques berges une certaine vitesse. Dans le langage courant, cette propriété, la vitesse, lui est d'ailleurs constamment attribuée. Ne dit-on pas que le temps passe « de plus en plus vite » ? Mais une vitesse, en général, c'est la dérivée d'une certaine quantité par rapport… au temps. La vitesse du temps s'obtient donc en déterminant le rythme de la variation du temps vis-à-vis de… lui-même. À peine partis, nous voilà déjà dans le mur. Il faudra s'y habituer : le temps prend un malin plaisir à transformer en pièges terribles les énoncés les plus simples.

Mais curieusement, ces paradoxes n'ont nullement empêché la métaphore fluviale d'accompagner toute l'histoire de la pensée sur le temps. Aujourd'hui encore, nos discours sur lui ressortissent au registre de commentaires de baigneurs emportés par un fleuve dont Héraclite disait déjà, il y a vingt-cinq siècles, que nous n'entrons jamais deux fois dans le même.

C'est bien la preuve qu'il y a quand même des choses qui se répètent à l'identique, mais de bouche à oreille seulement…

LES TEMPS D'AVANT CHRONOS

> *Le mythe est une parole choisie par l'his-*
> *toire : il ne saurait surgir de la « nature » des*
> *choses.*
>
> Roland Barthes

> *Petit poisson deviendra grand,*
> *Pourvu que Dieu lui prête vie.*
>
> La Fontaine

« Au début », racontent les mythes les plus anciens, il existait un monde originel qui perdurait sans être soumis au temps. Le temps n'est entré en scène qu'au bout d'« un certain temps » pour amorcer une genèse, enclencher un processus, provoquer une évolution. Dans ces récits où triomphe le merveilleux, le temps ne semble pas avoir pour fonction première de faire per-sister le monde : il est identifié au seul devenir, non à ce qui maintient le monde dans la continuité d'un présent. Seule une confusion entre temps et devenir permet en effet d'imaginer qu'un monde stagnant, pré-chronique, a pu précéder le temps, celui-ci n'advenant que dans un second temps pour initier une trame historique.

Ce joyeux amalgame a conservé de beaux restes dans notre culture. Il sous-entend que nul temps n'est présent si aucun changement ne se produit : seul le devenir aurait besoin du temps, pas la simple durée.

Regardons du côté des mythes grecs [1]. Au début, donc, il y avait le Ciel et la Terre, Ouranos et Gaïa. Enfanté par elle, le Ciel recouvrait complètement la Terre. Il lui « collait à la peau », maintenant sur elle une nuit continuelle sans cesser de s'épancher dans son ventre. En clair, il n'avait pas d'autre activité que sexuelle, de sorte que Gaïa se trouvait grosse de toute une série d'enfants, dont les Titans, qui restaient logés là même où Ouranos les avait conçus. Nul espace entre Ouranos et Gaïa qui aurait permis à leurs enfants de venir à la lumière et d'avoir une existence autonome.

Mais Gaïa finit par ne plus supporter de retenir en son sein ses enfants, qui, faute de pouvoir sortir, la gonflaient et l'étouffaient. C'est alors que Kronos, le dernier conçu, accepta d'aider sa mère en affrontant son père. Tandis qu'Ouranos s'épanchait en Gaïa, il attrapa fermement les parties génitales de son père puis les coupa sèchement avec une serpe façonnée par sa mère. Ouranos poussa un hurlement de douleur qu'on imagine volontiers suraigu et, dans un geste brusque, se retira, s'éloigna de Gaïa, puis vint se fixer tout en haut du monde pour n'en plus bouger. En castrant Ouranos, Kronos réalisa donc une étape fondamentale dans la naissance du cosmos : il sépara le ciel

1. Voir le livre de Jean-Pierre Vernant, *L'Univers, les dieux, les hommes : récits grecs des origines*, Paris, Seuil, 1999.

de la terre et créa entre eux un espace libre. Désormais, tout ce que la terre produirait aurait un lieu pour se développer et tout ce que les êtres vivants feraient naître pourrait respirer, vivre, engendrer.

Ainsi, le temps du devenir est apparu, s'est « épanoui », juste après l'espace. Tant qu'Ouranos pesait sur Gaïa, pas de générations possibles, celles-ci restant enfouies à l'intérieur de l'être qui les avait produites. En fait, contrairement à ce que le mythe nous dit, il y avait déjà du temps puisque Ouranos et Gaïa « éprouvaient » de la durée, mais c'était un temps enfermé en lui-même, qui ne permettait rien d'autre que la simple stagnation du monde. Ouranos se retirant, les Titans purent sortir du giron maternel et enfanter à leur tour : débuta alors une succession de générations. En s'émancipant, Kronos libéra Chronos [1]. Porteur de devenir, ouvert à l'histoire, il allait enfin pouvoir se déployer, à l'infini.

Le mythe du Timée, dans lequel Platon expose sa cosmogonie, met également en scène un démiurge qui « installe » le temps pour permettre au devenir de participer à l'éternel.

Si l'on regarde maintenant du côté de l'hindouisme, on découvre des textes très anciens racontant des histoires analogues : là aussi, le temps n'advient qu'à partir d'un certain moment, à l'occasion de l'émergence d'un personnage particulier. En d'autres termes, un monde existe d'abord, dans

---

1. Avant de devenir cet infâme tyran qui dévorait ses enfants au fur et à mesure que son épouse Rhéa les mettait au monde, Kronos fut donc un libérateur. L'exemple est à méditer au son kantien de « toutes les libérations ne sont pas des délivrances ».

lequel, nous explique-t-on, il y a de la durée mais pas de temps ! Ainsi lit-on dans les Brahmanas : « Au commencement, les Eaux, l'Océan existaient seuls. Les Eaux désirèrent : "Comment parviendrons-nous à procréer ?" Elles firent un effort, Elles tardèrent l'ardeur et en Elles un œuf d'or se développa. Le temps, certes, n'existait pas alors, mais l'œuf flotta aussi longtemps que dure une année. Pendant cette année, un être apparut : c'était Prajapati [1]. » Praja-pati, « le maître des créatures », en prononçant des sons de bébé d'une ou deux syllabes, créa la Terre, l'espace et le Ciel (un peu comme Kronos, tiens, tiens…). La contradiction entre le fait que le temps « n'existe pas » et le fait que l'œuf flotte « pendant une année » ne semble pas contrevenir ici aux règles du récit puisque le temps n'est pas d'abord pensé comme ce qui produit de la succession ou de la durée.

En Orient comme en Occident, on a pu ainsi raconter des histoires comportant des repères chrono-logiques tout en affirmant que le temps n'existait pas. Cette liberté narrative, qui ne se préoccupe guère de cohérence, tend à oublier que le temps affecte l'être dans son immobilité autant que dans son devenir, qu'il agit *aussi* lorsque nul changement ne se produit : *le devenir présuppose le temps, mais le temps n'implique pas le devenir*. En ce sens, il peut arriver qu'une cer-

---

1. Satapatha Brahmana, 11, 1, 6, cité dans « Les mythes de la création » dans *Encyclopédie des religions du monde*, t. 2, sous la direction de Frédéric Lenoir et Ysé Tardan-Masquelier, Paris, Bayard-Centurions, 1997, p. 1523-1524.

taine littérature étrécisse le temps ou le cantonne à une fonction bien précise [1].

La physique, elle, distingue le temps du devenir, le cours du temps de la flèche du temps : le cours du temps désigne le fait que « le temps passe », qu'en passant il produit de la durée et seulement de la durée, bref qu'il engendre la simple succession des événements ; la flèche du temps renvoie quant à elle à la possibilité qu'ont les choses de *devenir*, c'est-à-dire de connaître au cours du temps des changements ou des transformations parfois irréversibles. Nous verrons plus loin qu'elle est une propriété, non du temps lui-même, mais des phénomènes temporels.

En résumé, le cours du temps assure la continuité du monde pendant que la flèche du temps y produit des histoires et des nouveautés ineffaçables. Est-ce à dire que si le cours du temps venait à s'arrêter, tout disparaîtrait ?

---

1. Mais, comme l'a fort bien expliqué Ernst Cassirer dans son *Essai sur l'homme* (Paris, Éditions de Minuit, 1976), cela ne signifie pas que le mythe soit une « science ratée ». Le mythe est une forme symbolique qui propose une explication du monde, plus précisément une explication du *sens* du monde. En narrant la genèse, il vise à donner une vérité. La science, elle, ne se préoccupe *a priori* pas de la question du sens.

L'ARRÊT DU TEMPS
OU L'ABOLITION DU MONDE

> *Estragon : – J'ai fait un rêve.*
> *Vladimir : – Ne le raconte pas.*
> *Estragon : – Je rêvais que…*
> *Vladimir : – NE LE RACONTE PAS.*
> *Estragon : –… le temps s'est arrêté.*
>
> Samuel Beckett

Nous parlons volontiers du temps comme s'il pouvait parfois s'arrêter, comme s'il pouvait même, à l'occasion, ne plus exister. Désir très profond, rêve très humain : se préserver du temps qui court, capturer les instants de bonheur. Lamartine souhaitait que le temps suspendît son vol : ainsi « s'éterniserait » une belle journée (qui, du coup, ne durerait plus vingt-quatre heures, mais c'est sans doute un détail). C'est aussi ce qu'espèrait Winnie, personnage de *Oh les beaux jours* de Beckett, qui sollicitait l'« Heure exquise qui nous grise » de se changer en une « bulle increvable ». Chacun d'entre nous s'est ainsi pris à rêver d'un monde atemporel où rien ne dégénérerait plus, où le jardin des choses s'épanouirait à l'abri des événements historiques, dans une sorte de béate éternité.

Mais en pratique, comment faire ? Schrödinger, qui fut un illustre physicien et un grand amoureux des femmes, expliquait que pour arrêter le temps, il suffit d'un baiser sincère : « Aimez une fille de tout votre cœur, écrivit-il un jour, et embrassez-la sur la bouche : alors, le temps s'arrêtera, et l'espace cessera d'exister [1]. » La recette a été vantée et éventée depuis la nuit des temps : aux yeux de ceux qui veulent se libérer de la tyrannie du vieux Chronos, l'amour a toujours paru sinon efficace, du moins prometteur.

Seuls les romanciers de science-fiction sont en mesure de lui faire concurrence. Dans certains de leurs livres, ils imaginent que le temps cesse vraiment de s'écouler. Leur truc ? La confusion entre temps et mouvement, un peu à la façon des mythes anciens. L'histoire commence ainsi : tout à coup, les aiguilles de toutes les montres se bloquent (ce qui est possible, après tout), puis on en tire immédiatement la conclusion que le temps lui-même ne passe plus (ce qui est plus difficile à avaler). Les premières lignes du *Jour où le temps s'est arrêté* se révèlent étonnantes, à seconde vue : « Le 24 mai 2006, un vendredi, à onze heures, vingt-sept minutes, trente-quatre secondes, le temps s'arrête : Raymond, sur un des trottoirs de la grand-place, remontait justement sa montre. Les aiguilles restent immobiles. Il secoue sa montre. Les aiguilles sont immobiles. […] Les feux aux carrefours ne changent plus, restant les

1. Erwin Schrödinger, *Carnets de 1919. À propos de philosophie kantienne*, cité par J. Mehra et H. Rechenberg dans *The Historical Development of Quantum Theory*, Springer Verlag, 1987, p. 40.

uns rouges, les autres verts. Les automobiles, les autobus ne roulent plus, figés. Le cycliste, qui pédalait, perd l'équilibre, tombe [1]. » Le moteur du temps peut donc tomber en panne sèche sans que cela empêche le monde de continuer à exister ! Et le brave Raymond peut même encore y secouer sa montre !

En somme, on nous demande d'accepter tout à la fois que le temps ne passe plus, que le monde continue à exister, presque comme si de rien n'était, et que dans ce monde où le temps s'est arrêté, les mouvements demeurent possibles. Cela fait beaucoup. Car pour que le monde se maintienne, il faut bien qu'un temps soit là qui, en s'écoulant, le fasse durer. Même si, dans ce monde, plus rien ne se passe, même si plus rien ne bouge, le temps, lui, demeure actif pour continuer à *le faire être*. Il est l'artisan de sa persévération : à chaque instant, *c'est lui qui tient le « maintenant » par la main pour lui faire traverser le présent*. Son arrêt véritable signifierait donc non seulement l'immobilisation de toute chose, mais aussi l'interruption immédiate du présent, c'est-à-dire la disparition de tout ce qui existe. Une telle néantisation, instantanée et complète, ravalerait n'importe quelle apocalypse au rang de bluette : un arrêt du temps serait un arrêt de mort du monde lui-même.

Si le temps est bien cet « étant » que nous ne rencontrons jamais directement mais qui contient tout ce que nous rencontrons, il ne peut y avoir de monde sans temps. Le temps est consubstantiel au

1. Jean Bernard, *Le Jour où le temps s'est arrêté*, Paris, Odile Jacob, 1997, p. 11.

monde : rien ne peut advenir ni persister en dehors de lui.

Résumons-nous : le temps est *au minimum* ce par quoi les choses persistent à être présentes. Sans lui, tout passerait d'un seul coup : à peine apparu, le monde replongerait dans le néant. Nous pouvons avoir l'impression qu'il ne s'écoule plus, mais ce n'est qu'une impression, une illusion, une façon de parler : il ne cesse jamais de s'écouler. Le temps n'est pas une mare.

Il y a donc une distorsion entre notre sentimentalité, qui s'accommode fort bien de l'idée d'un arrêt du temps (ou réclame son suspens), et notre intellect, qui ne parvient pas à l'envisager autrement que comme un arrêt du mouvement. Ce constat ne garantit évidemment pas que le temps ne s'arrêtera jamais, mais illustre simplement notre impossibilité à le penser, ou plus exactement à penser ce que cet arrêt impliquerait *de facto*, c'est-à-dire la chute dans le néant : dès que nous imaginons le néant, nous en faisons « quelque chose » qu'il ne peut justement pas être, par définition. Tout se passe comme si nous ne parvenions à penser l'absence d'une chose que par la représentation de quelque autre chose. Dans notre esprit, abolition signifie d'abord substitution. L'idée de néant absolu y devient donc destructrice d'elle-même. Sans doute est-ce parce que le néant constitue un point aveugle dans nos représentations que nous sommes incapables de penser ce que pourrait être un arrêt du temps.

Dès lors que « quelque chose » est là, il y a nécessairement du temps, même si dans ce « quelque chose » nulle dynamique ne semble à l'œuvre : dans un univers statique, de glace ou de mort, le temps reste ce renouvellement du présent sans chose qui change.

AVEC LE TEMPS, TOUT NE S'EN VA PAS

Beau ciel, vrai ciel, regarde-moi qui change !
Paul Valéry

Il y a vingt-cinq siècles [1], Parménide considérait que le temps était inexplicable. Il pensait le mouvement comme une succession de positions fixes, de sorte que tout devait pouvoir être décrit à partir du seul concept d'immobilité. Le devenir n'était donc qu'une illusion, une entité oiseuse relevant du « non-être ». Emporté par son élan farouchement immobiliste, Parménide rejetait également les concepts de changement ou de mouvement au motif qu'ils contredisaient la tendance spontanée de la raison à l'identité et à la permanence. En face de lui, Héraclite prenait un parti exactement

1. Vingt-cinq siècles, cela semble si long qu'on ne voit pas quel fil pourrait nous unir à ces penseurs présocratiques. Mais il en existe un qui est bien visible, relevé par Max Dorra : au National Sequoia Park, non loin de San Francisco, se dresse un arbre de 84 mètres, âgé de 2 600 ans. Il était donc dans l'enfance à l'époque de Parménide et d'Héraclite (voir Max Dorra, *Heidegger, Primo Levi et le séquoïa*, Paris, Gallimard, coll. « NRF », 2001).

51

inverse : il proposait de confondre matière et mouvement. Selon lui, tout était mobile, tellement mobile d'ailleurs qu'on ne pouvait imaginer de point fixe pour évaluer les changements qui se produisaient dans le monde, ni pour expliquer quoi que ce soit.

Au cours des deux derniers millénaires, ces deux courants de pensée n'ont pas cessé de se combattre. Par penseurs interposés, l'être et le devenir se sont fait une guerre sans merci. Dans l'opinion commune, c'est plutôt Héraclite qui l'a gagnée : « avec le temps, tout passe », clamons-nous sans cesse, en ajoutant, histoire d'être tout à fait clair : « et rien ne dure jamais » [1]. Le devenir est ainsi devenu l'habit principal du temps, son oripeau. Mais il ne faudrait pas oublier qu'en marge de la philosophie, la physique a pris, elle aussi, part à ces joutes intellectuelles. Et elle s'est rangée dans l'autre camp, celui de Parménide.

La physique s'attache en effet à rechercher des relations invariables entre les phénomènes, des rapports soustraits au changement. Comme le philosophe d'Élée, elle semble donc fascinée par l'idée d'invariance ou d'immobilité, au point que même lorsqu'elle s'applique à des processus qui ont une histoire ou une évolution, elle les décrit à partir de formes, de lois, de règles qui sont indépendantes du temps. Ainsi espère-t-elle construire une « législation des métamorphoses » s'appuyant sur des notions insoumises au temps. D'ailleurs, les lois qu'elle utilise sont *a priori* posées comme intemporelles, comme « extérieures » à l'Univers, comme planant très haut au-dessus du

---

1. Faisant ainsi écho au fragment 95 : « Tout passe et rien ne demeure. » (Héraclite, *Fragments*, Paris, GF-Flammarion, 2002.)

temps. Sa démarche est donc bien d'exprimer le devenir à partir d'éléments qui échappent au devenir, de raconter des histoires à partir de règles qui *sont* mais ne *deviennent* pas.

La physique avait-elle le choix ? Sans doute pas, car il est impossible d'exprimer le devenir en n'invoquant que le devenir. Comment fonderait-on une théorie à partir de concepts fluctuants ? Si les notions figurant dans l'énoncé des lois physiques n'étaient pas supposées fixes, que deviendrait le statut de ces lois ? Si le concept de mouvement était lui-même mobile, que pourrait-on en dire qui soit ferme ? Que serait une loi de la chute des corps chaque jour changeante ? Pour éviter d'avoir à traiter ces questions embarrassantes, la physique fait l'hypothèse que ses lois sont invariantes au cours du temps, quitte à ce qu'elle les élargisse ou les transforme si des faits venaient à démentir cet *a priori*. Plus précisément, elle postule – et c'est là son côté radicalement parménidien – la constance *dans le temps* du lien entre les termes que ses lois relient.

Un théorème fondamental donne toute sa force à cette idée en reliant presque mécaniquement deux notions en apparence bien distinctes : celle de conservation et celle de symétrie. En 1918, la mathématicienne Emmy Noether établit qu'à toute invariance selon un groupe de symétries est nécessairement associée une quantité conservée en toutes circonstances, c'est-à-dire une loi de conservation. Postulons par exemple que les lois de la physique sont invariantes par translation du temps (c'est-à-dire qu'elles ne changent pas si l'on modifie le choix de l'instant de référence, « l'origine » à partir de laquelle sont mesurées les durées). Cela consiste à dire que les lois régissant toute expérience de physique ne sauraient dépendre du moment particulier où l'expérience est réalisée : tout instant en vaut un autre, de sorte qu'il n'existe aucun instant particulier qui puisse servir de référence absolue pour les autres. Lorsqu'on applique le théorème de Noether, on découvre que cette invariance par translation du temps a pour corollaire direct la conservation de l'énergie. Prenons un exemple à l'appui : imaginons que la force de pesanteur varie de façon périodique dans le temps, qu'elle soit par exemple très faible chaque jour à midi et très forte à minuit. On pourrait alors monter quotidiennement une charge au sommet d'un immeuble à midi, puis la projeter dans le vide à minuit. L'énergie ainsi gagnée serait plus élevée que l'énergie dépensée. Il n'y aurait donc plus conservation de l'énergie.

La loi de conservation de l'énergie a donc une signification qui dépasse largement sa formulation habituelle : elle exprime rien de moins que la pérennité des lois physiques, c'est-à-dire leur invariance au cours du temps [1]. Sous sa coupe, le temps devient le gardien de la mémoire du monde physique et le support même de son avenir. Il faut donc l'imaginer équipé d'un petit baluchon grâce auquel il transporte scrupuleusement, d'instant en instant, les lois physiques sans les modifier.

1. De la même façon, l'invariance des lois physiques par translation d'espace, qui signifie qu'elles sont les mêmes en tous lieux, a pour conséquence la conservation de l'impulsion. Cette loi de conservation interdit en particulier toute modification spontanée du mouvement, conformément au principe d'inertie. Elle revient à dire que l'espace est homogène, c'est-à-dire que ses propriétés ne peuvent pas différer d'un point à un autre.

On objectera à cette façon de considérer le temps que l'Univers d'aujourd'hui ne ressemble guère à l'Univers primordial. Certes. Mais en réalité ce sont les conditions physiques qui ont changé, non les lois. En tous ses points d'espace-temps, l'Univers conserve la mémoire de ce qu'il a été et la possibilité d'y rejouer le scénario de ses premiers instants. Ainsi, lorsque des physiciens provoquent de très violentes collisions de particules dans leurs accélérateurs de haute énergie [1], ils obtiennent des indications sur ce que fut le passé très lointain de l'Univers. En effet, ils créent, ou plutôt recréent, dans un tout petit volume et pendant une durée très brève les conditions physiques extrêmes qui étaient celles de l'Univers primordial (très haute température et très grande densité d'énergie). De ces chocs terribles sortent de très nombreuses particules qui proviennent de la matérialisation de l'énergie des particules incidentes. La plupart de ces particules n'existent plus dans l'Univers : trop fugaces, elles se sont rapidement transformées en d'autres particules plus légères et plus stables qui constituent la matière d'aujourd'hui. Mais l'Univers n'en a pas moins intimement conservé la possibilité de faire réapparaître en son sein, selon des lois physiques invariables, ces objets qu'il ne contient plus, pour peu que

1. Les physiciens des particules utilisent aujourd'hui des « collisionneurs », c'est-à-dire des accélérateurs de particules au sein desquels deux faisceaux circulent en sens contraire presque à la vitesse de la lumière et peuvent entrer en collision. Dans ces chocs, toute l'énergie des particules incidentes est convertible en matière, en vertu de l'équivalence entre l'énergie et la masse ($E = mc^2$). Elle peut ainsi se transformer intégralement en d'autres particules.

des physiciens (aidés des contribuables) le poussent à la roue. Il autorise ainsi qu'on réactualise ses vieux souvenirs : une bonne collision bien violente entre deux particules, pour lui, c'est un bain de jouvence.

Il arrive toutefois qu'on cherche à savoir si les lois physiques ont pu varier dans le temps. Dans la pratique, ce problème est ramené à une formulation plus économique : on suppose que ce qui a pu varier au cours du temps, ce ne sont pas les lois elles-mêmes, mais les constantes universelles qu'elles font intervenir, par exemple la constante de la gravitation universelle. Le physicien Paul Dirac avait proposé une telle hypothèse dans les années 1930, dans le but de rendre compte tout à la fois des phénomènes cosmologiques et microscopiques [1]. Cette théorie ne peut être reprise telle quelle aujourd'hui, car des observations cosmologiques variées ont établi la remarquable constance des constantes universelles de la physique sur de très longues durées. Mais tout récemment, des observations de raies d'absorption dans des spectres de quasars ont suggéré qu'une certaine constante sans dimension, dite « de structure fine » et caractéristique de l'interaction électromagnétique, avait pu être différente à une époque antérieure [2]. Affaire à suivre…

1. P. A. M. Dirac, *A New Basis for Cosmology*, Proceedings of the Royal Society, A 155, 1938, p. 199-208.
2. La constante de structure fine n'est pas une constante fondamentale de la physique, mais une combinaison adimensionnelle de la constante de Planck, de la vitesse de la lumière et de la charge de l'électron. Certains modèles théoriques récents, notamment la théorie des supercordes, n'excluent pas qu'elle ait pu varier à un certain niveau (en fait, la théorie des supercordes prédit *a priori* la variation de ce type de constantes). La

Le roman surréaliste d'un écrivain aujourd'hui oublié illustrait brillamment la thématique du changement de la loi, mais dans le champ social cette fois. Dans *La Ville incertaine*[1], écrit durant la Seconde Guerre mondiale, J. M. A. Paroutaud met en scène une cité dans laquelle les lois et les règles changent chaque jour. Rien n'y est fixe, si ce n'est le perpétuel changement des codes : on a le droit de voler tel jour et non tel autre, mais personne ne connaît les lois en vigueur à chaque instant, à part les « gens à casquette » chargés d'arrêter (puis d'éliminer) les contrevenants. Chaque matin, un démiurge pervers décide ce qui est licite et ce qui ne l'est pas, édictant de façon occulte des lois éphémères, qui organisent au sein de la cité un

---

meilleure façon de voir si cette variation est réelle ou non, et d'une façon générale de détecter une variation éventuelle d'autres constantes, consiste à tester le « principe d'équivalence » de la relativité générale avec une très haute précision. La forme « faible » (galiléenne) de ce principe énonçait simplement que le mouvement d'un objet dans un champ de gravitation était indépendant de la structure interne ou de la composition de cet objet : dans le vide, un kilo de plomb doit chuter comme dix kilos de zirconium. La formulation « forte », proposée par Einstein comme principe fondateur de la relativité générale, stipule que les lois de la physique demeurent localement identiques en l'absence ou en présence de gravitation. Ainsi, un observateur enfermé dans un ascenseur en chute libre et sans fenêtre – ou dans une capsule spatiale dont les moteurs sont coupés – ne peut faire aucune expérience capable de lu révéler la présence extérieure des masses vers lesquelles il tombe. Localement, les effets de la gravitation sont indiscernables des effets d'accélération. Plusieurs expériences sur satellite s'apprêtent à tester très finement ce principe.

1. J. M. A. Paroutaud, *La Ville incertaine*, Paris, Le Dilettante, 1997.

effroyable jeu suppliciel, mélange de loterie et de violence, en même temps qu'elles empêchent de fixer une bonne fois pour toutes les notions de bien et de mal.

Pareille situation ne relève pas de la seule fiction. Lorsqu'elle était sous la domination des talibans, la ville de Kaboul a pu incarner ce type de ville « incertaine ». En décembre 2001, un Kabouli racontait que « personne ne savait vraiment ce qui était autorisé. Un jour, la police religieuse arrivait avec ses fouets, et l'on apprenait alors que telle ou telle chose était impie [1] ». On mesure l'angoisse inhérente à une telle situation : lorsque le lien entre loi et permanence est détruit, ce sont toutes les références qui s'évanouissent. La justice, les rapports humains et peut-être même le sens de la vie se trouvent dépossédés de leurs points de repère.

On comprend mieux ce que la physique a d'idéal et de rassurant : elle ne sait penser le temps qu'en imaginant qu'il monnaie de l'invariance. Selon elle, le temps avance en maintenant fixement la forme des lois du monde. Celles-ci sont donc comme ses diamants éternels. Seules les conditions physiques changent au sein de l'Univers.

Contrairement à ce qu'on dit toujours, la prétendue fuite du temps n'est donc pas désordonnée, ni totalement destructrice : avec le temps, non Madame, tout ne s'en va pas.

---

1. *Le Figaro* des samedi 29 et dimanche 30 décembre 2001, p. 3.

L'ENNUI OU LE TEMPS MIS À NU

L'ennui de l'huître produit des perles.

José Bergamin

Vincent Tuquedenne continuait à tuer le temps à coups de talon, à piétiner ces minutes vides qu'il ne savait même pas remplir avec des cafés crèmes.

Raymond Queneau

Le temps physique est souvent présenté comme une abstraction, comme une réalité éthérée, inaccessible, impalpable. Ce point de vue est exagéré. Il existe une expérience – proprement métaphysique – du temps physique qui est celle de l'ennui : lorsque rien n'advient, lorsque rien ne s'annonce, lorsque rien ne se passe, nous éprouvons l'existence d'un temps évidé, débarrassé de ses travestissements et de ses chatoiements, gagné par l'autonomie, d'un temps sans élasticité, qui semble s'être dissocié du devenir et du changement. C'est le temps mis à nu, le temps physique tel qu'il fut pour la première fois défini par Newton.

Quand s'ennuie-t-on ? Quand le temps semble vide ou stérile : parce que rien n'arrive, parce qu'on n'a rien à faire ou parce qu'on échoue à s'intéresser à ce qu'on fait. On s'ennuie donc quand on est condamné à une attente dont on ne peut réduire la durée. Mais on s'ennuie aussi, bien souvent, quand on n'attend plus rien. Le temps se dépouille alors de tout ce à quoi il est d'ordinaire mêlé.

L'ennui ressemble à une pièce de monnaie : il a une certaine valeur et une double face. Sur le côté pile, qu'on désignera comme le mauvais, il est l'indice d'un manque d'être, d'une vacuité existentielle qui nous rappelle à chaque instant notre « éternullité », pour reprendre le mot de Jules Laforgue : d'un homme intelligent, il est alors capable de faire « une ombre qui marche, un fantôme qui pense [1] », pour parler comme Gustave Flaubert. Mais sur le côté face, le bon, il offre la possibilité d'un contact ouvert avec soi. Lui qu'on présente toujours comme une pure négativité, comme un enfer à fuir, une expérience à éviter, est en réalité capable de s'inverser en une occasion d'en apprendre sur soi. L'ennui opère alors des prodiges dont aucun tumulte n'est capable. Il existe un véritable miracle de l'ennui.

D'abord, l'ennui désintoxique notre rapport au temps : rien ne s'y passe, sauf le temps qui passe. Il nous met donc en contact avec un temps réduit à la seule succession des instants, débarrassé de tout ce qui d'ordinaire l'enrobe ou le parasite. Il agit en quelque sorte comme un chalumeau temporel : il consume ce

1. Gustave Flaubert, *Correspondance*, 87, 7 juin 1844, Paris, Gallimard, 1998.

qui n'appartient qu'à la périphérie du temps, déma-
quille la relation que nous avons avec lui, laisse voir
son squelette. Ne restent que les tic-tac. L'ennui nous
jette ainsi dans les bornes molles du présent et c'est
aussi de ce rétrécissement temporel que vient sa
richesse : en vidant l'Univers de toute consistance, en
libérant du souci de l'avenir aussi bien que de la
mémoire, il prépare l'émerveillement, « comme on
déploie une nappe blanche sur la table, les jours de
fête [1] », et fournit ainsi l'expérience vitale d'une étrangeté radicale face au monde. En compagnie de l'ennui, on est seul : impossible, donc, de se rater. L'ennui
apparaît ainsi comme le corollaire exact de la conscience de soi, et donc comme une autre manière de
désigner celle-ci. Lorsqu'il atteint cette dimension-là,
il devient un vide nourricier capable d'ouvrir à ce qui
sommeille en soi : il décolle le temps de l'existence
comme on décolle le papier peint d'un mur. Finalement, seul l'ennui nous donne l'occasion de chiquer
du temps « pur », c'est-à-dire un temps très proche du
temps physique.

Faire l'expérience de l'ennui ne suffit toutefois pas
pour devenir capable de construire l'idée de temps
physique. Quant à la conceptualiser ou à la mathématiser… d'ailleurs, l'homme a connu l'ennui bien
avant d'inventer la physique moderne ! Mais nous
sommes tellement habitués, du moins en Occident,
à l'idée qu'existe un temps « physique » que nous ne
discernons plus son étrangeté : nous peinons même
à comprendre ce que la découverte de Galilée à
propos de la chute des corps – celle par laquelle le

1. Christian Bobin, *Ressusciter*, Paris, Gallimard, 2001, p. 71.

temps gagna ses lauriers de variable mathématique – pouvait avoir de si extraordinaire. Faire du temps un être quantifiable, est-ce que ça n'allait pas de soi ?

Jusqu'au XVIe siècle, l'idée commune de temps était centrée sur des préoccupations quotidiennes, et il ne venait à l'esprit de personne de faire intervenir directement le temps dans l'expression d'une loi physique [1]. De fait, plusieurs millénaires séparent les plus anciennes mesures du passage du temps par des gnomons [2], premières « horloges à ombre », de la première conceptualisation opératoire du temps. C'est bien la preuve que les horloges, quel que soit leur type, ne montrent pas explicitement le temps tel que la physique le conceptualise, mais seulement un effet de son passage. Elles ont existé en abondance et pendant très longtemps avant qu'un homme – Galilée – ait l'idée

1. Même si, selon certains historiens, le premier philosophe qui ait vraiment affirmé l'existence d'un temps physique est Albert Le Grand (1200-1280), le maître de Thomas d'Aquin. Prenant le contrepied des thèses de saint Augustin, il affirme que le temps existe vraiment dans la nature et que l'âme se contente de le percevoir : « *Ergo esse temporis non dependet ab anima, sed temporis perceptio* » ; phrase qu'on peut traduire par : « Ce qui dépend de l'âme n'est pas l'existence du temps, mais la perception du temps. »

2. Ancêtre du cadran solaire, le gnomon est le plus simple des instruments permettant de mesurer le passage du temps : un piquet vertical, éclairé par le soleil, projette une ombre dont la longueur varie avec l'heure de la journée (elle est plus courte à midi, quand le soleil atteint le plus haut point de sa course journalière). Mais, comme cette longueur varie aussi au cours de l'année, la signification des repères portés sur le plan horizontal de l'instrument change constamment.

de mettre le temps à la sauce du monde physique en le dotant d'une authentique structure : à chaque instant correspond une valeur particulière de la variable temps, notée *t*, et toute durée est faite d'instants sans durée comme une ligne est faite de points sans dimension. Formalisée de façon plus rigoureuse par Newton [1], cette mathématisation a conduit à accentuer la personnification du temps, déjà bien amorcée dans la philosophie grecque.

S'étonner qu'il ait fallu attendre aussi longtemps avant d'avoir l'idée de mathématiser le temps, c'est d'abord oublier que le statut du temps physique, loin d'être évident, est en réalité très « spécial » : voilà un temps qui échappe aux différences d'appréciation subjective, un temps censé palpiter au cœur même de la nature, que celle-ci soit là, tout près de nous, ou bien aux confins de l'Univers ! C'est aussi ignorer que de multiples sociétés humaines n'ont nullement éprouvé le besoin de forger l'idée d'un temps homogène. L'exemple le plus connu est celui de la Chine : les Chinois, comme l'explique fort bien François

---

1. Galilée n'a pas véritablement caractérisé le temps physique, ni cherché à le définir explicitement. Simplement, les propriétés de ce temps physique sont implicitement déterminées par la nature de certaines lois galiléennes. Ainsi, lorsqu'il étudie le mouvement uniforme, Galilée établit un rapport géométrique entre les notions d'espace et de temps qui contraint leur lien mutuel : « Par mouvement régulier ou uniforme, j'entends celui où les espaces parcourus par un mobile en des temps égaux quelconques sont égaux entre eux. » Dans les *Principia*, Newton caractérisera vraiment le temps physique : « Le temps absolu, vrai et mathématique, sans relation à rien d'extérieur, coule uniformément et s'appelle *durée*. »

Jullien [1], n'ont méconnu ni les calendriers ni les horloges de toutes sortes, mais n'ont jamais conçu le temps sous l'aspect d'un défilé monotone constitué par la succession de moments qui seraient qualitativement semblables. Ils le voient plutôt comme un ensemble d'ères, de saisons, d'époques, chacune ayant une consistance particulière et des attributs propres, de sorte que nul fil unitaire ne peut vraiment les mettre en correspondance. De nombreux autres exemples prouvent qu'on peut tout à fait « parler le temps » sans en avoir une conception homogène. Ainsi les *Orokaiva* [2], ces habitants du district nord de la Papouasie Nouvelle-Guinée, n'ont pas de mot pour exprimer le temps en tant que tel, mais ils en ont un pour dire « jour », un pour dire « nuit », d'autres pour dire « avant », « maintenant », « après ». Leur langue leur permet en outre de marquer l'éloignement temporel, la « profondeur dans le passé », grâce à des formes verbales et à des conjugaisons variées.

Mais alors, comment diable cette idée de temps physique a-t-elle fini par émerger ? Il est difficile de décrire les différentes étapes intellectuelles qui ont permis de la concevoir. Henri Bergson est l'un des rares à s'y être risqué, avec, il faut bien le dire, une certaine naïveté.

Il défendait l'idée que le temps physique résultait d'une simple extension aux choses de notre expérience subjective de la durée. Selon lui, si nous avons fini par

1. François Jullien, *Du « temps ». Éléments d'une philosophie du vivre*, Paris, Grasset, 2001.
2. Voir *L'Espace et le temps aujourd'hui*, Émile Noël (dir.), Paris, Seuil, coll. « Sciences », 1983, p. 273-287.

fonder une représentation scientifique du temps, c'est parce que nous avons étendu au monde qui nous entoure, par simple continuité, notre propre « vécu » temporel. Je dois considérer, explique Bergson, que la temporalité du sucre qui fond dans un verre d'eau posé sur la table est en réalité le reflet de mon attente, éventuellement celui de mon impatience. En allant ainsi de ma propre conscience au verre d'eau, puis à la table, puis aux autres objets autour de moi, je peux passer de l'affirmation « je dure » à la conclusion que « l'Univers dure » [1] également. « Nous ne durons pas seuls [2] », écrit Bergson pour signifier cette appropriation temporelle du monde par la conscience. Les choses extérieures durent comme nous, de sorte que le temps, envisagé dans cette extension, peut prendre peu à peu l'aspect d'un milieu homogène. Ainsi passe-t-on du temps tel que vécu par la conscience à la variable mathématique t des physiciens. Au terme de ce processus de généralisation, le moi et le tout finissent sinon par se confondre, du moins par se rejoindre.

Cette thèse de Bergson est loin d'avoir fait l'unanimité, notamment parce que, plaçant le temps physique dans le prolongement direct du temps vécu, elle le présuppose proche de notre subjectivité. Einstein s'opposera fermement à cette conception : « C'est à la science, expliqua-t-il au philosophe, qu'il faut demander la vérité sur le temps comme sur tout le reste. Et

1. Henri Bergson, *L'Évolution créatrice*, *Œuvres*, Paris, PUF, 1970, p. 503.
2. Henri Bergson, *Essai sur les données immédiates de la conscience*, *Œuvres*, *op. cit.*, p. 85.

l'expérience du monde perçu avec ses évidences n'est qu'un balbutiement avant la claire parole de la science [1]. » Rien ne prouve en effet qu'il soit possible d'instituer une correspondance entre les formes de la connaissance commune et la structure des choses.

Si le temps tel que le décrit la physique a mûri si lentement dans l'esprit des hommes, c'est parce que ses propriétés sont contraires à notre intuition : le langage, l'expérience commune n'y ont pas directement accès car ils ne l'appréhendent que par le biais de tout ce qu'il rend possible. Comme le confirmera avec encore plus d'éclat la physique quantique, en rupture franche avec les idées intuitives, c'est bien l'intelligence, et non l'intuition, qui permet d'élaborer les concepts aptes à rendre compte de la réalité physique.

1. Cité par Maurice Merleau-Ponty dans *Signes*, Paris, Gallimard, 1960, p. 248.

QU'EST-CE QUI FAIT PASSER LE TEMPS ?

> *Je vadrouille à travers les jours comme une putain dans un monde sans trottoirs.*
>
> Cioran

> *Dans le passé, il y avait beaucoup plus d'avenir que maintenant.*
>
> Le Chat

La première mathématisation du temps physique, annoncée par Galilée et formalisée par Newton, a consisté à supposer que celui-ci n'a qu'une dimension. L'argument était simple : un seul nombre suffit pour dater un événement physique. Il n'y a donc qu'un seul temps à la fois. Et comme il ne cesse jamais d'y avoir du temps qui passe, on le représente par une ligne parfaitement continue [1]. Cette figuration est conforme à ce que nous apprend notre expérience, qui nous présente des événements se superposant dans le temps (c'est-à-dire ayant lieu en même temps), mais jamais

---

1. La variable t qui représente le temps est donc ce qu'en mathématiques on appelle un nombre *réel*.

de lacunes. Le temps ignore les pauses café et ne prend pas de congés. Dans son enveloppe, nulle « trouée » qui permettrait la moindre évasion, même brève. Ainsi le temps se trouve-t-il assimilé à un flux composé d'instants infiniment proches, succédant les uns aux autres.

Nous nous sommes tellement laissés imprégner par cette représentation vieille de plusieurs siècles qu'elle nous a partiellement endormis. Par la force de l'habitude, nous la croyons suffisante pour épuiser la question de la représentation du temps. Simple formalisation de l'image du fleuve ? Mathématisation élémentaire de notre intuition du temps ? À bien y réfléchir, cette représentation pose plutôt d'étranges questions, qui renvoient à ce que l'on pourrait appeler les « problèmes de ligne » du temps.

D'abord, pour engendrer une ligne à partir d'un point, il faut se donner ce qui manque toujours à un instant pour faire de la durée et qui est précisément… le temps ! La figuration du temps par une ligne est donc fondamentalement incomplète : elle omet d'indiquer comment cette ligne se construit. Le présent n'amenant pas de lui-même un autre présent, il faut bien que quelque chose, un « petit moteur », fasse ce travail à sa place. Ce petit moteur qui tire le fil et qui, continuellement, renouvelle le présent, qu'est-ce, sinon le « cœur » même du temps ? N'est-ce pas lui qui prolonge tout instant en continuité temporelle, c'est-à-dire en durée ? Sans sa dynamique, la nouveauté même de chaque instant ne pourrait surgir. Ce qui nous amène à changer le regard que nous portons sur la ligne du temps : le cœur du temps existe moins

le néant est trop souvent imaginé comme
substitution

dans la ligne par laquelle on le figure que dans la dynamique cachée qui construit cette ligne.

Un deuxième problème se pose. Pour pouvoir dire
qu'une infinité de points forme une ligne, ne faut-il
pas que ceux-ci coexistent *en même temps* sous notre
regard ? Bergson avait remarqué que cette représentation du temps par une ligne n'était en réalité qu'une
spatialisation du temps, qui confinait presque à sa
négation : « Si l'on établit un ordre dans le successif,
écrit-il, c'est que la succession devient simultanéité et
se projette dans l'espace… Pour mettre cette argu-
mentation sous une forme plus rigoureuse, imaginons
une ligne droite, indéfinie, et sur cette ligne un point
matériel A qui se déplace. Si ce point prenait conscience de lui-même, il se sentirait changer puisqu'il se
meut : il apercevrait une succession ; mais cette succession revêtirait-elle pour lui la forme d'une ligne ?
Oui, sans doute, à condition qu'il pût s'élever en
quelque sorte au-dessus de cette ligne qu'il parcourt et
en apercevoir simultanément plusieurs points juxta-
posés : mais par là même, il formerait l'idée d'espace,
et c'est dans l'espace qu'il verrait se dérouler les changements qu'il subit, non dans la durée [1]. »

Une ligne, en effet, ne peut être perçue sous forme
de ligne que par un spectateur en situation d'extériorité. Or toute « lévitation » au-dessus du temps est
impossible : jamais nous ne pouvons nous extraire du
présent pour observer sa continuité avec le passé ou le
futur. Alors comment diable parvenons-nous à parler
d'une « forme du temps », dès lors que cela suppose

1. Henri Bergson, *Essai sur les données immédiates de la conscience, Œuvres, op. cit.*, p. 76-77.

d'avoir une vue extérieure sur le temps que nous n'avons justement pas ? Serions-nous tels des poissons mystérieusement capables de décrire la forme extérieure de leur bocal ?

Saint Augustin, qui avait eu le pressentiment de cette difficulté, s'étonne dans ses *Confessions* de pouvoir sentir le passage du temps : « Comment puis-je à la fois être dans le présent et prendre suffisamment de recul pour m'apercevoir que le temps passe ? » Près de seize siècles plus tard, cette question continue de donner le vertige aux esprits les plus stables, même si l'argument avancé par Bergson pour contester la spatialisation du temps physique ne tient plus tout à fait. En effet, on sait aujourd'hui caractériser le fait qu'une ligne soit une ligne sans qu'il soit nécessaire de la plonger dans un espace plus grand qu'elle-même : sa « topologie » et ses propriétés essentielles, par exemple sa continuité, peuvent être mathématiquement définies de façon intrinsèque, c'est-à-dire sans prendre appui sur l'« extérieur » de la ligne.

On peut ensuite s'interroger sur la localisation de la ligne du temps. Si tout est contenu dans le temps, dans quel espace extérieur au temps cette ligne du temps doit-elle être tracée ? Flotte-t-elle dans le vide ou s'appuie-t-elle sur « quelque chose » ? Nous retrouvons le problème de la rive déjà évoqué à propos de la métaphore du fleuve. Dans quoi le temps se déploie-t-il donc ? Lui qui englobe tout, comment pourrait-il être représenté *dans* quelque chose ? Existerait-il un « en-dehors » du temps ? On peut soit imaginer que le temps crée le monde au fur et à mesure qu'il passe, instant après instant, comme s'il le portait sur ses propres épaules et avançait avec lui, soit concevoir qu'il ne fait que parcourir un territoire déjà là, présent de toute éternité.

Apparaissent ainsi deux interprétations radicalement différentes du temps physique. Dans la première hypothèse, la représentation du temps par une ligne figure la production même de cette ligne, comme si le temps créait lui-même les points parcourus, comme si une force créatrice inhérente au présent le tirait du néant et en faisait chaque fois une entité nouvelle. Dans la seconde, elle figure plutôt une sorte de scène infinie, déjà donnée, en attente de ce qui peut s'y produire et dans laquelle le temps vient se déployer. Lequel de ces deux points de vue faut-il choisir ? Et surtout, faut-il en choisir un ?

Nous laisserons ces questions en suspens, car il importe d'abord de discuter quelle(s) forme(s) peut prendre la ligne du temps.

L'ÉTERNEL RETOUR
OU LES VICES DU CERCLE

> *Si vous poussez devant vous une caisse carrée avec toutes les difficultés que cela repré-sente et qu'il y ait à côté de vous un gosse qui joue au ballon, vous vous rendez compte !*
>
> Fernand Léger

> *On continue à apprendre et on n'arrêtera jamais. On ne peut pas tout savoir.*
>
> Keith Richards

Les planètes tournent autour du Soleil, les jours succèdent aux nuits, les saisons se suivent et se res-semblent, le Tour de France (« la grande boucle ») fait chaque année réapparaître des pelotons de coureurs cyclistes, notre cœur bat à une cadence d'essuie-glace et le tiers provisionnel tombe à dates fixes dans nos boîtes aux lettres. De ce simple constat que le temps fait se répéter certains événements, qu'il réitère parfois ce qu'il s'est autorisé à produire une fois, nous avons déduit que le temps lui-même était cyclique.

Ce réflexe nous vient de loin. Pendant des siècles, c'est la forme du cercle qui a trôné, impériale, sur le temps. Passant pour la forme géométrique la plus achevée, celle qui n'a ni début ni fin, dont la régularité est si aboutie que nul ne saurait l'augmenter, le cercle incarne la figure de la perfection. Contempler une forme ronde ne procure-t-il pas quelque plaisir visuel [1] ? Et puis, surtout, un cercle, ça roule ! De là aussi la fascination qu'il exerce sur les esprits. Cette magie du cercle va du soleil jusqu'à la moindre pièce de monnaie, en passant par le ballon, la tarte, la bulle de savon, les rondeurs d'une femme. En somme, et avec un peu d'imagination, nous ne cessons de vivre l'aventure fabuleuse du cercle gagnant à la loterie du coin. Rien d'étonnant, dès lors, à ce que l'idée d'un temps faisant des boucles à l'infini ait pu prévaloir dans les grands mythes de l'humanité [2], dans certaines religions et quelques systèmes philosophiques, ceux des stoïciens ou des pythagoriciens, par exemple, et, plus récemment, chez Schopenhauer ou Nietzsche.

Il existe, à grands traits, deux façons d'envisager l'éternel retour, l'une très réconfortante, l'autre pas du tout. On peut d'une part le trouver apaisant : en relativisant tout événement, y compris la mort, il engendre plus de sérénité qu'un temps dramatique ayant un début

---

1. Il n'existe pas de meilleure étude de la symbolique du cercle, notamment en littérature, que celle qu'on doit à Georges Poulet (*Les Métamorphoses du cercle*, Paris, Flammarion, coll. « Champs », 1979).
2. Voir à ce sujet Mircea Éliade, *Le Mythe de l'éternel retour*, Paris, Gallimard, coll. « Folio Essais », 1989.

unique et une fin définitive [1] ; il délivre le rapport au passé de toutes les petites nostalgies que sont le remords, le regret, le repentir ; il parvient à associer, miraculeusement, deux manifestations du bonheur : le durable, d'une part, le « encore une fois », d'autre part. On conçoit que cela puisse consoler les esprits chagrinés par l'idée que certaines pertes sont définitives. Mais l'éternel retour peut tout aussi bien se montrer désespérant : si tout revient à l'identique, c'est que la volonté n'a aucun effet réel, l'agir pas de sens et la liberté pas cours.

Avant de discuter ce que la physique dit de cette conception cyclique du temps, il convient de rappeler comment les divers systèmes de pensée l'ont déclinée. Nous essaierons également de voir si leur manière de fonctionner ne s'appuie pas, en fait, sur une confusion entre répétition des phénomènes *dans le temps* et répétition du *temps lui-même*.

Ouvrons le bal avec les stoïciens, pour lesquels le monde périt afin de se régénérer à l'identique, indéfiniment, avec les mêmes individus, en une suite ininterrompue d'éclipses et de renaissances. Ce qu'on nomme « avenir » n'est donc jamais que du passé qui va revenir : rien ne s'ajoute à ce qui est ou a été par l'effet du temps.

---

1. Pour qui confond temps et mouvement, la circularité apparente du temps s'exhibe très prosaïquement dans le mouvement des aiguilles d'une montre. Cette représentation tout en rondeur a incontestablement des vertus anxiolytiques. Jean-Louis Bory expliquait avant son suicide qu'il ne pouvait plus supporter la matérialisation de l'écoulement du temps par les montres à quartz, nouvelles à l'époque : les aiguilles parcourant un cercle refermé sur lui-même lui semblaient moins angoissantes que le défilement des secondes, des minutes et des heures dont le terme ne pouvait être que la mort, et notamment la sienne.

Toute nouveauté est impossible, comme si le monde s'était réfugié en lui-même. Il ne s'ouvre pas, tout y est donné au départ, il n'existe ni destin ni liberté, seulement de la nécessité. On voit bien que dans ce schéma ce qui fait des boucles, ce n'est pas le temps, mais l'histoire du monde. C'est elle qui est cyclique. La même remarque vaut pour les pythagoriciens qui, à partir de leurs observations des révolutions célestes et du rythme des saisons, avaient conçu le cycle d'une « grande année » au terme de laquelle tout le ciel devait exactement reprendre sa configuration initiale [1]. On retrouve l'observation de la révolution des planètes à l'origine du temps cyclique en Grèce, en Iran et en Inde, sans qu'on sache s'il s'agit d'influences réciproques ou de traditions autonomes.

Si l'on prend un exemple religieux cette fois, notamment dans la tradition brahmanique, un cycle est un *yuga* ou *yoga*, c'est-à-dire un « lien » entre un temps cosmique et un autre qui le suit [2]. Chaque *yuga* est précédé d'une aurore et suivi d'un crépuscule. Depuis l'âge d'or primitif, quatre *yuga* se sont succédé, avec des durées inégales et décroissantes, de quatre mille à mille années « divines » [3]. À chaque changement d'ère, l'homme perd un quart de sa vertu et vit moins longtemps, les coutumes se relâchent, l'intelligence décline. La succession des *yuga* s'accompagne donc d'une décadence

1. La découverte des nombres irrationnels a rapidement rendu cette idée impossible à défendre dès lors que les périodes de révolution des différents astres, dont cette « grande année » était le plus petit commun multiple, n'étaient plus exprimables par des nombres entiers.

2. Voir le livre d'Odon Vallet, *Petit Lexique des idées fausses sur les religions*, Paris, Albin Michel, 2002, p. 244-245.

3. Un millier d'années « divines » peut correspondre à des millions d'années humaines.

humaine sur les plans biologique, intellectuel, moral et social, et cela continuera d'aller de mal en pis à moins qu'un cataclysme majeur ne permette de renouer avec les temps heureux. Dans ce contexte, la sortie du temps cyclique serait l'équivalent d'une délivrance apportant le salut définitif de l'âme. Mais les *yuga*, considérés comme des cycles, en réalité n'en sont pas : ils n'ont pas tous la même durée, ne répètent pas les choses à l'identique et peuvent être en nombre très limité. Il est donc abusif de parler d'éternel retour à leur propos, et encore plus de temps cyclique.

L'approche de Nietzsche est plus stimulante. D'abord parce que le bouillant philosophe, qui ne croyait ni à la métempsycose ni à la réincarnation, chercha de quoi soutenir le concept d'éternel retour dans la physique de son temps, du côté notamment de la thermodynamique statistique [1]. Ensuite parce que ses arguments avaient une portée plus vaste que la simple physique : il en tirait une sorte de morale consistant à dire que si le devenir revient effectivement sur soi pour former un grand cycle où tout réapparaît éternellement, alors nous devons faire le partage, dans nos expériences les plus quotidiennes, entre celles qui ne méritent pas d'être vécues à nouveau et celles dont nous pourrions vouloir qu'elles se reproduisent. Plutôt que de subir l'avenir, il s'agit de le vouloir : « Mes amis, écrit-il, je suis celui qui enseigne l'éternel retour.

---

1. Dans le cadre de la physique statistique, on peut démontrer que tout système classique évoluant selon des lois déterministes finit par repasser par un état aussi proche que possible de son état initial, au bout d'une durée plus ou moins longue, mais jamais infinie. C'est le sens du « théorème de récurrence » de Poincaré, démontré en 1889.

Voici : j'enseigne que toutes choses éternellement reviennent et vous-mêmes avec elles, et que vous avez déjà été là un nombre incalculable de fois et toutes choses avec vous ; j'enseigne qu'il y a une grande, une longue, une immense année du devenir, qui, une fois achevée, écoulée, se retourne aussitôt comme un sablier, inlassablement, de sorte que toutes ces années sont toujours égales à elles-mêmes, dans les plus petites et dans les plus grandes choses. Et à un mourant je dirais : "Vois, tu meurs et tu t'effaces à présent et tu disparais [...]. Mais la même puissance des causes, qui t'a créé cette fois-ci, reviendra et devra te créer à nouveau [...] pour une vie absolument la même que celle dont tu décides à présent, dans les plus petites et dans les plus grandes choses" [1]. » Il s'agit donc bien de vouloir la vie comme elle est : ne pas s'opposer au réel, y consentir intensément ; malgré la rupture des faits, préserver la continuité de l'action.

Pour Schopenhauer, qui se représentait lui aussi le temps comme un cercle éternellement refermé sur lui-même, c'est surtout le concept de devenir, cher à Hegel, qui est illusoire. Le temps fait toujours semblant d'annoncer une fin nouvelle, mais en réalité ramène au point de départ. Il tourne mais ne progresse pas. Il n'y a donc jamais d'Histoire avec un grand H puisque les mêmes petites histoires se répètent à l'infini : joie, attente, douleur alternant sans trêve, le temps ne remplit plus sa mission traditionnelle, qui est de faire advenir l'avenir. Pire encore, il fait ré-advenir le passé. Comme dit l'Ecclésiaste : « Ce qui a été, c'est ce qui sera. Et ce qui s'est fait, c'est ce

---

1. Friedrich Nietzsche, *Œuvres*, vol. X, trad. Jean Launay, Paris, Gallimard, 1978, p. 20-21.

qui se fera ; et il n'y a rien de nouveau sous le soleil [1]. » Nous croyons le temps libre et vivant quand il se révèle figé depuis toujours. Rien n'interdit que des modifications puissent s'immiscer entre deux cycles successifs, mais elles sont parfaitement illusoires. C'est même parce qu'elles sont illusoires que ces modifications permettent à l'humanité d'accepter l'éternelle répétition de son histoire, c'est-à-dire, selon le gai Schopenhauer, l'éternelle « répétition du même drame » : il suffit qu'elles soient seulement pensées comme possibles pour entretenir l'efficacité du mirage de la volonté et l'illusion de la liberté, quand, en réalité, tout revient à l'identique et rien ne change [2]. Mais Schopenhauer se trompait sur un point : ce n'est pas parce que l'histoire se répète que le temps lui-même tourne en rond. Les événements peuvent certes revenir. Mais les instants ?

Le concept d'éternel retour a connu une fortune considérable. Il est même devenu un véritable brouet philosophique auquel on doit en outre le célèbre rocher de Sisyphe [3] et la roue moins connue

1. Ecclésiaste, I, 9.
2. D'où l'intérêt, aux yeux de Schopenhauer, des études historiques qui font prendre conscience du même, caché sous les illusions de la modification et dénoncent du même coup les avatars d'un devenir nécessairement illusoire, qui ne fait jamais que repasser de vieux plats.
3. Sisyphe est condamné à pousser son rocher jusqu'au sommet de la montagne, rocher qui en retombe aussitôt, et à éternellement recommencer ce petit travail usant pour les mollets et les nerfs. S'il faut « imaginer Sisyphe heureux », selon les mots d'Albert Camus, on ne saurait oublier que son sort résulte d'une punition que lui ont infligée les dieux pour avoir osé tromper la mort.

d'Ixion [1]. Une telle fécondité n'est-elle pas étonnante ? Dès lors qu'elles sont associées au concept de temps cyclique, les doctrines de l'éternel retour ne souffrent-elles pas de certaines incohérences internes ?

D'abord, dans cette perspective d'un temps cyclique, chaque moment du temps acquiert un double statut, quasi contradictoire. En effet, tout instant y est à la fois périphérique et central : périphérique puisqu'il n'est qu'un point situé sur la circonférence d'un cercle ; central puisque, étant parcouru une infinité de fois, il devient une sorte de point fixe et éternel.

Ensuite, prise à la lettre, l'idée qu'un même cycle temporel puisse se répéter à l'infini est paradoxale. Admettons cependant que ce soit possible. De deux choses l'une : ou bien, lorsqu'on parcourt pour la deuxième fois un cycle donné, on se souvient de ce que fut le premier passage ; il ne s'agit pas alors d'une authentique répétition de l'expérience vécue lors du premier cycle, mais d'une simple « reprise », d'un scénario sans surprise, puisque l'on ne découvre plus ce qu'on est en train de revivre ; ou bien chaque

---

1. Roi reconnu coupable de meurtre et de parjure, Ixion est purifié par Zeus qui s'apitoie sur sa détresse. Il est même invité sur l'Olympe et il consomme le nectar et l'ambroisie, devenant ainsi immortel. Mais, dépourvu de scrupules, il essaie de séduire Héra, l'épouse de Zeus. Furieux, ce dernier façonne une nuée à l'image de sa femme, à laquelle Ixion s'unit. De cette union illusoire naissent les centaures, chevaux à torse et tête d'homme. Condamné pour son ingratitude, Ixion est lié à une roue enflammée qui tourne éternellement dans le Tartare, synonyme des Enfers. Terrible supplice, car l'éternité, comme disait Franz Kafka (mais aussi Pierre Dac ou Woody Allen), « c'est long, surtout vers la fin ».

démarrage d'un nouveau cycle « remet les compteurs à zéro », c'est-à-dire que chaque cycle est vécu pour lui-même, événement unique et neuf, oublieux de ce qui l'a précédé et inconscient de ce qui lui succédera ; dans ce cas, il ne s'agit pas non plus d'un véritable retour, puisque celui qui le vit ignore qu'il ne fait que le revivre…

En somme, pour qu'il y ait devenir et non simplement rengaine, ouverture et non simplement retour, il faut que du hasard, de l'imprévisible, des modifications, soient chaque fois mis en jeu, de sorte que chaque cycle se distingue du précédent. La différence injectée dans la répétition empêche la répétition… à l'identique, et l'on n'est plus dans l'éternel retour !

Que reste-t-il du temps dans la doctrine du temps cyclique ? Pratiquement rien. Elle implique en définitive la négation du cours du temps, dans le sens où elle nie ce qui en est au fondement : la mutuelle exclusion du passé, du présent et du futur. En allant vers le futur, on retourne au passé puis on revient au présent. On a vécu et on vivra le présent que l'on vit. On vit et on vivra le passé que l'on a vécu. On vit et on a vécu le futur que l'on vivra. Rien ne passe donc vraiment. Tout est toujours déjà là, tout est toujours encore là. Le temps perd toute opérativité. L'éternel retour déploie une sorte de non-temps. Raison pour laquelle il a connu tant de succès et pour laquelle Nietzsche lui-même ne prenait pas cette doctrine très au sérieux. Il parle d'ailleurs de l'« absurde » éternel [1], conscient que l'idée même de temps suppose une différenciation radicale entre passé, présent, avenir, idée qui n'a de

1. Friedrich Nietzsche, *Œuvres*, éd. cit., vol. XII, p. 213.

sens que si chaque présent est nécessairement nouveau par rapport à tout présent devenu passé [1].

L'idée de l'éternel retour, déclinée en termes de temps cyclique, s'appuie donc implicitement sur une sorte de faux syllogisme : prenant acte du fait que certains événements se répètent, elle suggère que cette répétition des phénomènes implique que le temps lui-même se répète. Or l'existence de cycles dans le temps ne signifie nullement que le temps est lui-même cyclique. Le fait qu'il y ait des phénomènes cycliques, mais aussi géologiques, chimiques, biologiques, psychologiques, avec leurs temporalités spécifiques, oblige-t-il à invoquer l'existence d'un temps cyclique, d'un « temps géologique », d'un « temps chimique », d'un « temps biologique », d'un « temps psychologique » ?

À la fin du XVIIIᵉ siècle, un homme dont presque plus personne ne se souvient aujourd'hui avait compris que l'apparente identité entre temps et phénomènes temporels tendait un piège à l'entendement, car rien ne prouve que le temps ait quoi que ce soit de commun avec les processus dont il permet le déploiement. Cet esprit sagace, Jean-Henri-Samuel Formey, membre de l'Académie royale de Prusse, est cité par un certain Jean-Jacques Rousseau, auteur de l'article consacré au temps dans l'*Encyclopédie* de Diderot et d'Alembert : « La durée n'est que l'ordre des choses successives en

---

1. Pour en savoir plus sur ces questions, on pourra consulter *Nietzsche et la philosophie* (Gilles Deleuze, Paris, PUF, 1962), *Le Choix des mots* (Clément Rosset, Paris, Éditions de Minuit, 1995) ou *Héraclite ou le philosophe de l'éternel retour* (Jean Brun, Paris, Seghers, 1965).

tant qu'elles se succèdent, en faisant abstraction de toute autre qualité interne que la simple succession. [...] Le temps n'est qu'un être abstrait, qui n'est point par conséquent susceptible des propriétés que l'imagination lui attribue [...] [1]. »

Cet homme, injustement oublié, avait vu fort juste.

1. Cité par Jean-Jacques Rousseau, article « Temps » de l'*Encyclopédie* de Diderot et d'Alembert, t. XVI, 1765.

LA CAUSALITÉ OU L'IMPOSSIBLE TAC-TIC

> *Les voies de Dieu sont droites, mais les*
> *méchants y trébucheront.*
>
> Blaise Pascal

Le temps des physiciens est un être simple. Sa seule et unique dimension le dote d'une topologie plus pauvre que celle de l'espace, qui, lui, en possède trois. En fait, il n'existe pour la « forme » du temps que deux configurations possibles, et deux seulement. Soit la ligne qui le représente est ouverte, soit elle est refermée sur elle-même. Dans le premier cas, elle se ramène à une droite. Dans le second, elle équivaut à un cercle. Il n'y a donc que deux types de temps possibles, le temps linéaire et le temps cyclique. Ce que nous avons appelé le « cours du temps » se manifeste sur ces deux types de courbes par le fait qu'elles sont orientées, c'est-à-dire parcourues dans un sens bien défini, du passé vers le futur. C'est pourquoi, sur la courbe du temps, on place souvent une petite flèche indiquant dans quel sens elle est parcourue.

Pendant des siècles, la magie du cercle a opéré et l'idée d'un temps cyclique a prévalu en dépit des difficultés logiques qu'elle soulève. Puis le temps linéaire l'a emporté. Cette victoire de la droite sur le cercle serait, selon certains historiens, un héritage indirect du christianisme primitif. L'invocation d'un dessein divin qui devrait conduire finalement au règne de Dieu sur Terre a sans nul doute contribué à renforcer l'idée selon laquelle des événements fondateurs d'un temps nouveau peuvent survenir, par opposition à la conception cyclique, qui impose un perpétuel recommencement des mêmes événements : pour qu'un événement soit unique, singulier, le déroulement du temps ne doit pas pouvoir se répéter. De ce point de vue, l'une des différences entre judaïsme et christianisme consiste en ce que, pour le premier, le Salut est encore à venir puisque le Messie est toujours attendu, tandis que pour le second le « centre de l'histoire » se situe dorénavant dans le passé, dans la mort et la résurrection du Christ.

C'est par le biais d'arguments plus prosaïques et tout à fait profanes que les physiciens ont adopté le temps linéaire plutôt que le temps cyclique. Si, selon eux, le temps ne saurait tourner en rond, c'est en vertu d'un principe apparemment tout simple, le « principe de causalité ». Dans sa formulation classique, ce principe se confondait avec l'idée d'un déterminisme strict, comme sous la plume de Leibniz : « Rien ne se fait sans raison suffisante, c'est-à-dire que rien n'arrive sans qu'il soit possible à celui qui connaîtrait assez les choses de rendre une raison qui suffise pour déterminer pourquoi il en est ainsi, et non pas autrement. [1] » En général, le

---

1. Leibniz, *Principes de la nature et de la grâce fondées en raison*, Paris, PUF, coll. « Épiméthée », 1986, p. 112 (texte original en français).

principe de causalité s'énonce plutôt en disant que tout fait a une cause et que la cause d'un phénomène est nécessairement antérieure au phénomène lui-même. Remarquons qu'ainsi formulé il n'a nullement été l'apanage du catéchisme scientifique. Presque tous les philosophes, d'Aristote à Kant en passant par M. de La Palice, ont fondé l'exercice de leur pensée sur la nécessité de la cause, qui a parfois été décrite comme la forme fondamentale de notre perception du monde, comme une forme *a priori* de notre entendement, ce dernier ayant besoin d'imaginer partout un ordre pour ne pas s'égarer[1].

C'est la physique qui a conféré à ce très métaphysique principe de causalité sa radicalité. Alors comment en est-il venu à exclure que le temps des physiciens puisse être cyclique ? Dans un temps circulaire, le devenir revient sur lui-même pour tout faire réapparaître, si bien que ce qu'on appelle la cause pourrait tout aussi bien être l'effet, et *vice versa*. Le principe de

---

1. Cela rend d'ailleurs le principe de causalité inexplicable sur un plan strictement philosophique puisque, si la causalité est le principe dont tout procède, elle ne procède elle-même de rien (la causalité est incapable de rendre compte d'elle-même, elle n'a pas elle-même de cause). Ce constat a poussé Schopenhauer à faire l'expérience inverse de celle attribuée à Newton, qui s'est étonné que la pomme tombe et en a découvert la cause. Schopenhauer, lui, s'étonne que la causalité découverte par Newton suffise à faire tomber la pomme et se demande comment la causalité a pu devenir une évidence première pour tant de philosophes. Le problème posé est simple : les questions cessent-elles de se poser quand on a dit que « la pomme tombe en direction de la terre à cause de la force de gravitation » ou bien faut-il, en plus, répondre en cherchant la cause de la force de gravitation elle-même ? La théorie des supercordes, que nous présenterons plus loin (p. 139), répondra peut-être à cette dernière question.

causalité y serait donc inapplicable. La circularité du temps conduirait de surcroît à affronter de bien curieuses situations : aller vers le futur étant équivalent à retourner dans le passé, un être humain pourrait supprimer dans le passé l'une des causes qui ont permis sa naissance, par exemple empêcher toute rencontre entre son père et sa mère. Un tel paradoxe, possible avec un temps cyclique, ne l'est plus avec un temps linéaire, celui-ci ordonnant les événements selon un enchaînement chronologique irrémédiable.

Toutefois, l'énoncé du principe de causalité a considérablement évolué au cours du temps. Après avoir joué un rôle essentiel dans la physique des XVIIe et XVIIIe siècles, le concept de cause a vu son importance décliner au XIXe siècle avec l'apparition de l'usage des probabilités en physique statistique [1]. Au XXe siècle, la physique quantique lui a porté le coup de grâce. En effet, l'usage que cette physique de l'infiniment petit fait des probabilités interdit qu'on puisse parler, à propos des processus quantiques, de cause au sens strict du terme. C'est le physicien Max Born qui s'en rendit compte le premier. En 1926, alors qu'il étudiait d'un point de vue théorique la façon dont un électron évolue quand il est envoyé sur un obstacle, un atome par exemple, il constata que la « fonction d'onde [2] » de

---

1. Mais le concept de cause restait présent dans les discours. Car, comme l'a remarqué Bertrand Russell, il en allait du concept de cause comme de la monarchie anglaise, à savoir qu'on ne l'a laissée survivre que parce qu'on suppose à tort qu'elle ne fait pas de dégâts (B. Russell, *The Concept of Cause*, dans *Mysticism and logic*, London, Allen and Unwin, 1986, p. 173).

2. La fonction d'onde d'une particule est une fonction mathématique à partir de laquelle on peut calculer la probabilité que ladite particule apparaisse ici ou là.

l'électron, d'abord simple onde plane, se modifiait peu à peu, se déformait à proximité de l'obstacle et divergeait finalement pour s'étendre dans toutes les directions. Or l'expérience correspondante existait, avec des résultats parfaitement clairs : si l'on détecte l'électron sur un écran fluorescent, on ne voit pas une lumière diffuse se répandre sur tout l'écran, partout où la fonction d'onde est censée être présente, mais, au contraire, l'électron arrive en un point de l'écran, un seul, où une scintillation signale l'impact. Quand on répète l'expérience avec d'autres électrons, le même phénomène se reproduit, sauf que le point d'impact sur l'écran change : il semble varier au hasard. Max Born en conclut que la fonction d'onde ne contrôlait pas le mouvement exact de la particule, mais seulement la probabilité que celle-ci pût être détectée en un point ou un autre de l'écran.

Les physiciens ont pris acte de cette révolution en faisant en sorte que l'énoncé du principe de causalité ne fasse plus directement référence à l'idée de cause, mais se contente de mentionner un ordre obligatoire et absolu entre divers types de phénomènes, sans que l'un puisse être présenté comme la cause de l'autre [1]. Du coup, dans leurs formalismes, la causalité n'est plus qu'une simple méthode de rangement des événements, une « règle » qui les place selon un ordre contraint. Ainsi épuré, le principe de causalité stipule simplement que le temps ne fait pas de caprices, qu'il s'écoule dans un sens bien déterminé, de sorte qu'on

---

1. Voir Thomas Kuhn, « Les notions de causalité dans le développement de la physique », dans *Les Théories de la causalité*, Paris, PUF, 1971.

peut toujours établir une chronologie bien définie si les événements sont causalement reliés [1]. Il ne peut donc y avoir de renversement : si le temps fait tic-tac, il ne fait jamais tac-tic. Comme nous le verrons plus loin, cette simple idée que le temps ignore la marche arrière – et qu'en définitive c'est cela qui le définit – a des conséquences considérables, parfois déroutantes : elle a par exemple conduit à la prédiction de l'existence de… l'antimatière ! Nous y reviendrons.

L'autre versant du principe de causalité consiste à dire, selon la formule consacrée, que « les mêmes causes produisent les mêmes effets ». Le temps peut donc sembler avoir des tics au cours de ses tic-tac : certains phénomènes se reproduisent tels quels, dès lors que leurs causes se répètent. En rendant possible la réapparition à l'identique de certains événements à différents moments du temps linéaire, la causalité organise certaines répétitions événementielles et permet parfois à l'Histoire de « repasser les plats ».

Une nouvelle de Thierry Jonquet, *La Vigie* [2], illustre de manière spectaculaire l'invariabilité des effets que produisent certaines causes. Un vieil homme, qui a

1. Dans un livre très bien argumenté, Max Kistler définit ainsi la causalité au sens moderne du mot : « Deux événements *c* et *e* sont liés comme cause et effet si et seulement s'il existe au moins une grandeur physique P, soumise à une loi de conservation, exemplifiée dans *c* et *e*, et dont une quantité déterminée est transférée entre *c* et *e*. » (Max Kistler, *Causalité et lois de la nature*, Paris, Vrin, 2000, p. 282.)

2. Thierry Jonquet, *La Vigie et autres nouvelles*, Paris, L'Atalante, 1998. Cette nouvelle a été adaptée en bande dessinée (Jean-Christophe Chauzy, Thierry Jonquet, *La Vigie*, Bruxelles, Casterman, 2001).

durement combattu pendant la guerre de 1914-1918, observe à la jumelle, de son pavillon en surplomb, la vie quotidienne de ses voisins dans les immeubles alentour. Au fil des jours, il reconnaît certaines situations tragiques qu'il a déjà rencontrées soixante-dix ans auparavant : une jeune mère se prostitue chez elle sans prendre garde au fait que sa fille est parfois témoin de ses pratiques ; un médecin, fatigué de soigner des miséreux sans jamais prendre de repos, devient suicidaire ; mis au chômage, un père de famille nombreuse se met à boire et bat ses enfants, qu'il ne peut plus nourrir ; de jeunes musulmans, las d'être quotidiennement humiliés, préparent leur revanche en achetant des bouteilles de gaz et des clous. Toutes ces situations, le vieil homme les avait côtoyées sous des apparences à peu près identiques alors qu'il était au front ou en permission, et elles avaient eu une issue tragique : suicides, meurtres et attentats. Il pressent que celles que vivent ses voisins aboutiront aux mêmes désastres. Il écrit plusieurs lettres au maire de sa commune pour l'alerter, mais elles restent sans suite. Les causes qu'il a identifiées ont donc quartier libre pour produire leurs effets – suicides, meurtres et attentats –, cette fois concentrés en une seule journée. « Moi, j'dis qu'y a pas de hasard [1] », maugrée le patron du bar en apprenant que plus de vingt personnes ont péri le même jour dans la cité.

La causalité, en autorisant le « clonage temporel » de certaines chaînes d'événements, est en effet une garantie de rebelote systématique. C'est même grâce à cela qu'on la repère. Aussi engendre-t-elle deux consé-

---

1. *La Vigie et autres nouvelles, ibid.*, p. 150.

quences d'importance, qui ne sont contradictoires qu'en apparence : d'une part, elle interdit au temps d'être lui-même cyclique ; d'autre part, elle garantit que des événements peuvent se répéter au cours du temps, c'est-à-dire qu'il y ait des cycles dans le temps. En somme, elle autorise la répétition des phénomènes tout en interdisant celle du temps.

La linéarité du temps, dès qu'elle fut affirmée, a ouvert de nouvelles perspectives : marquée par des événements uniques, tendue vers un futur forcément neuf, elle rompait radicalement avec les bégaiements du temps circulaire et ses monotones itérations. Elle fit de l'avenir une aventure. Avant elle, la rengaine, le sempiternel, et rien d'autre. Avec elle, la production historique, l'invention, l'inédit. Mais aussi des cycles. Et parfois l'irréparable, le définitif.

Par construction, le temps linéaire fonce droit devant lui. Chaque jour qu'il fait est un jour nouveau. Sans cesse le défilé rectiligne de ses tic-tac grignote des bribes de perfection circulaire. Mieux, il nous donne une marge de manœuvre et un semblant de liberté.

« VOYAGES » DANS LE TEMPS
ET AUTRES UCHRONIES

> *Je me suis envolé trop loin dans l'avenir :*
> *un frisson d'horreur m'a saisi.*
> *Et lorsque je regardai autour de moi, voici*
> *que le temps était mon seul contemporain !*
>
> Friedrich Nietzsche

> *J'avais perdu le sens de l'histoire, cela arrive*
> *dans bien des maladies.*
>
> Maurice Blanchot

Chacun d'entre nous a pu ressentir le temps comme une prison sans barreaux, une prison que nous voudrions pouvoir quitter pour déambuler à loisir le long de l'axe du temps, aller et venir de part et d'autre du présent, bref « voyager dans le temps ». Une expression aux accents fantastiques employée fréquemment, comme si elle allait de soi.

« Voyager dans le temps », serait-ce se remémorer un passé perdu ? Revivre en boucle les moments heureux ? Retrouver des proches disparus ? Changer d'époque sans changer d'âge ? Changer d'âge sans changer d'époque ? Observer, sur une sorte d'écran de cinéma, le passé et le futur, tout en vivant une sorte de « téléportation temporelle » qui désolidariserait son temps personnel du temps de l'histoire ? Ou remonter dans le passé pour transformer la réalité historique, changer ce qui a été écrit ou vécu, redonner au monde une certaine virginité ?

Les auteurs de science-fiction, qui ont toujours été de grands explorateurs, ont mis en scène ces diverses possibilités. Avec *La Machine à explorer le temps*, publiée en 1895, H. G. Wells utilise le thème du voyage dans le temps pour exposer ses thèses sur l'avenir de l'humanité. Lyon Sprague de Camp raconte, dans *De peur que les ténèbres*, qu'un voyageur temporel parvient, lors des premières invasions barbares, à apporter aux Romains des inventions inconnues d'eux, comme la machine à vapeur et les chiffres arabes, qui augmentent leur puissance militaire. Le cours de l'histoire en est évidemment modifié (le Moyen Âge, par exemple, est évité). Dans *Saison de grand cru*, Henry Kuttner et Catherine Moore racontent les aventures de voyageurs temporels qui « atterrissent » dans un futur tellement lointain qu'ils deviennent totalement insensibles aux souffrances des gens qu'ils y rencontrent. La distance culturelle, trop grande, engendre une forme d'indifférence affective. Paul Anderson envisage quant à lui l'existence des Daneeliens, humanité future vivant un million d'années après notre ère, qui veulent que rien ne puisse perturber leur monde présent, qu'ils imaginent le meilleur qui soit. Ils créent donc une « patrouille du temps » (d'où le titre de l'ouvrage), chargée d'empêcher toute tentative de modifier le passé qui pourrait, par ricochet causal, modifier leur présent et leur avenir. Gardienne de la fixité du passé, elle est en quelque sorte le bras armé de la causalité.

Ken Grimwood s'amuse, lui, avec l'éventualité qu'on pourrait indéfiniment refaire sa vie. Le héros de *Replay*, Jeff Winston, meurt d'une crise cardiaque le 18 octobre 1988 et se réveille en 1963, à l'âge de dix-huit ans, dans son ancienne chambre de l'université d'Atlanta. Va-t-il connaître le même avenir ? Non, car ses souvenirs sont intacts et il croit pouvoir les utiliser pour faire mieux que la première fois. Connaissant par avance les résultats des courses de chevaux, il sait ce qu'il faut jouer et gagne à tous les coups. Très vite, il devient très riche, mais guère plus heureux, jusqu'à… sa deuxième mort, à la même date que la première. Quand il se retrouve à nouveau en 1963, il choisit d'expérimenter le sexe et la drogue, puis finit par découvrir l'amour avec une femme qui, comme lui, « rejoue » son existence, jusqu'à… leur troisième mort. Une quatrième vie commence alors, suivie d'une cinquième, puis d'une sixième, au cours desquelles il retrouve chaque fois la femme aimée, mais de plus en plus tardivement, de sorte que chaque nouvelle vie est encore plus cauchemardesque que la précédente. Enfin la mort, la vraie, la définitive, vient le délivrer à tout jamais de la fatigante ritournelle de ces vies successives jamais réussies, et dont aucune n'a été vécue comme une « vraie » vie.

Dans *Un paysage du temps*, Grégory Benford utilise des « tachyons [1] », ces particules censées permettre de

---

1. Un tachyon est, par définition, une particule qui va plus vite que la lumière dans le vide. Si un tel objet existait, il permettrait les voyages dans le temps. C'est pourquoi la théorie de la relativité exclut cette possibilité en vertu du principe de causalité.

remonter le cours du temps, pour alerter des chercheurs du passé sur les catastrophes que leurs découvertes ont engendrées plus tard.

On se souvient enfin du film *Les Visiteurs*, de Jean-Marie Poiré, de *Retour vers le futur*, de Robert Zemeckis, ou encore, pour remonter plus loin dans le passé (c'est métaphoriquement possible avec une bonne mémoire ou de bonnes archives), de *C'est arrivé demain*, de René Clair, réalisé en 1943. Dans ce film, un jeune journaliste possède le don diabolique de recevoir, vingt-quatre heures avant que les événements ne se produisent, un exemplaire de son quotidien daté du lendemain. Il en profite d'abord pour gagner au tiercé, mais change vite de mine lorsqu'il apprend, annoncée en première page du journal, sa propre mort, survenue au cours d'un hold-up qu'il a lui-même organisé dans une banque de New York. Scénario génial, qui va faire se réaliser l'impossible : d'une part, en offrant un indispensable *happy end* puisque le journaliste, en définitive, ne meurt pas ; d'autre part, en sauvant l'honneur de la presse puisque la prédiction annoncée par le journal s'avère exacte, à un tout petit détail près : on s'est trompé de personne à la suite d'une subtile péripétie qui ne sera pas dévoilée ici.

Le voyage dans le temps se décline à l'infini, surtout lorsqu'il permet de changer le passé et, par voie de conséquence, le présent. Mais dans toutes ces histoires, il n'est pas vraiment question pour l'auteur de mettre sa logique à l'épreuve. Il en subsiste quelques incohérences, qui ne tracasseront que le physicien ou le logicien qui sommeille en nous. Par exemple, l'idée même de voyage dans le temps n'implique-t-elle par une sorte d'écart absurde entre le temps propre de celui qui voyage et le temps extérieur dans lequel il voyage ? Ne suppose-t-elle pas implicitement que se superposent, au sein d'un seul et même monde, deux temps différents, celui du voyageur temporel et celui de l'Univers ? Ou bien (ce qui revient au même) qu'existent simultanément des états de l'Univers pris en des temps différents, comme l'avait si bien noté le philosophe Alain à propos de *La Machine à explorer le temps* [1] ?

Tout bon voyageur temporel devrait alors disposer de deux montres : l'une lui indiquant sa propre heure, l'autre celle de son environnement « du moment », si l'on peut dire. Dès lors, si l'on maintient que le temps physique est unique et qu'il n'est pas cyclique, ne devient-il pas *ipso facto* cette chose dans laquelle on ne peut pas voyager ?

En dépit de ces difficultés, qui ne sont pas minces, certains magazines annoncent régulièrement en une que les travaux des physiciens progressent et que bientôt, sans doute, elle sera sinon disponible, du moins concevable, la fameuse machine ! Les derniers développements de la physique autorisent-ils vraiment quelque espoir ?

---

1. Critiquant ce roman de H. G. Wells, Alain écrit, avec beaucoup de sagacité : « L'observateur qui a conduit la machine revient au temps d'où il est parti, retrouve ses amis, et retrouve l'univers comme l'univers était au départ. Il faut donc qu'il existe en même temps des états de l'univers en des temps différents, ce qui ne va plus du tout. Je ne réfute pas ce roman, qui est beau, mais je tire un peu au clair cette condition du temps, qui est que toutes les choses le parcourent ensemble et du même pas. » (Alain, *Propos*, 1923, repris dans *Vigiles de l'esprit*, Paris, Gallimard, 1947, p. 245-246.)

Au préalable, posons-nous cette question candide : si quelqu'un trouvait dans le futur une machine à remonter dans le temps, comment expliquer que nous n'en disposions pas dès aujourd'hui ? Admettons qu'une telle machine soit fabriquée en 2050. Il lui suffirait de remonter le temps de quelques dizaines d'années seulement pour nous atteindre. Elle devrait pouvoir effectuer cette excursion temporelle puisque c'est précisément sa fonction ! Alors, pourquoi n'est-elle pas déjà là ? Une machine à remonter le temps, capable de visiter toutes les époques, ne devrait-elle pas être intemporelle par nature ?

L'ANTIMATIÈRE OU LA FIN DU VOYAGE

> *On est peut-être cons, mais pas au point de*
> *voyager pour le plaisir.*
>
> Samuel Beckett [1]

Quand on demande à un physicien de dire si les voyages dans le temps seront possibles un jour, il répond le plus souvent par la négative, et paraîtra agacé. Il arrive aussi qu'il entrouvre une porte en prenant le plus souvent appui sur la relativité générale, qui fut énoncée par Einstein en 1915. En effet, pour qui cherche des situations permettant – en principe – de changer de présent, cette théorie de la gravitation semble *a priori* la plus prometteuse, grâce notamment à des « astuces topologiques ».

Pour comprendre ce dont il s'agit, il faut rappeler les leçons essentielles de la relativité générale, née du constat que la théorie newtonienne de la gravitation était construite sur une étrange hypothèse : l'effet de la gravitation entre deux corps, exprimé par une force mutuelle d'attraction, était censé se

1. Cité de mémoire par Clément Rosset, dans *Le Régime des passions et autres textes*, Paris, Éditions de Minuit, 2001, p. 79.

propager instantanément dans l'espace. Si l'un des corps changeait de forme, l'autre en était immédiatement « informé », même si leur distance mutuelle était de plusieurs années-lumière. Il y avait là un sérieux conflit avec la théorie de la relativité restreinte, formulée par le même Einstein en 1905, qui stipulait justement qu'une information ne pouvait se propager instantanément. La physique n'était plus cohérente. Pour y remettre de l'ordre, Einstein dut modifier le concept de la gravitation tel que Newton et ses successeurs l'avaient envisagé. Pour ce faire, il s'appuya sur les travaux de Lobatchevski et Riemann, qui, un demi-siècle auparavant, s'étaient intéressés à des espaces dont la géométrie différait de celle (euclidienne) de notre espace ordinaire.

Leurs études suggéraient de façon encore sommaire que la gravitation pouvait ne pas être une véritable force, mais plutôt une manifestation locale de la courbure de l'espace. Einstein donna à cette idée toute sa puissance en postulant que la géométrie de l'Univers, plate en relativité restreinte, était courbée par les masses qu'il contenait, et qu'en retour cette géométrie déterminait directement (c'est-à-dire sans qu'une force soit mise en jeu) le mouvement des objets matériels en son sein. Ainsi le mouvement de la Terre autour du Soleil ne résultait-il plus de l'action instantanée de la force de Newton, mais était guidé le long d'une trajectoire déterminée par la présence massive du Soleil. En clair, selon la relativité générale, la courbure (qui n'a pourtant pas la parole) « dit » à la matière comment se mouvoir et la matière (pourtant tout aussi

mutique) « dit » à la géométrie comment se cour-
ber [1].

Qu'en est-il alors des voyages dans le temps en relativité générale ? Cette question, en vérité, n'a cessé de
faire débat. Dès 1937, un physicien écossais du nom
de Van Stockum découvrit une solution des équations
de la relativité générale montrant qu'un cylindre infiniment long en rotation très rapide fonctionne
comme une sorte de machine à remonter le temps.
Mais, dès lors qu'il n'existe rien qui soit infiniment
long dans la nature, on doute qu'une telle machine
puisse exister. En 1949, Kurt Gödel trouva une autre
solution aux équations de la relativité générale, décrivant un Univers en rotation mais pas en expansion
dans lequel on peut remonter le temps simplement en
s'éloignant assez de la Terre pour y revenir ensuite. Le
problème, pour qui voudrait y croire, est que notre
Univers ne tourne pas (ou tourne peu) et qu'il est
manifestement en expansion [2]. En 1976, Franck
Tipler démontra que, pour créer une machine à
remonter le temps dans une région d'espace, il fallait
qu'une matière radicalement différente de la matière
ordinaire, qualifiée pour cette raison d'« exotique »,
entre dans la composition de ladite machine [3]. Mais de

1. Une excellente présentation de la relativité générale est
faite par Jean Eisenstaedt dans son livre *Einstein et la relativité
générale*, Paris, CNRS Éditions, 2002.
2. Gödel présenta son modèle à Einstein, qui ne fut pas
convaincu, expliquant qu'il était incapable de croire que l'on
puisse « télégraphier vers son passé ».
3. Cette matière se comporterait donc, du point de vue de la
gravité, à l'opposé de la matière ordinaire, en étant capable de
défocaliser par gravité des faisceaux lumineux.

quoi serait faite cette matière exotique ? Personne ne le sait.

Aujourd'hui, les physiciens parlent beaucoup des possibilités que pourraient offrir les « trous de ver ». En dépit de leur étrangeté, ce ne sont pas de pures inventions sorties du chapeau d'auteurs de science-fiction. Découverts mathématiquement en 1916 par Ludwig Flamm, ils sont en quelque sorte des raccourcis dans la topologie de l'espace-temps permettant de relier deux régions éloignées l'une de l'autre. Un trou de ver possède deux entrées pouvant être distantes de plusieurs millions d'années-lumière, mais qu'un « tunnel » dans l'espace-temps permet de relier par un chemin beaucoup plus court. De nombreux physiciens, notamment Kip Thorne, Igor Novikov et John Friedman, ont étudié comment de tels trous de ver pourraient être utilisés pour voyager dans le temps : il suffirait de passer par l'un de ces tunnels pour parcourir les quelques millions d'années-lumière qui séparent les deux entrées en quelques fractions de seconde, sans avoir à dépasser la vitesse de la lumière, c'est-à-dire sans violer les principes de la théorie de la relativité[1]. Mais cette possibilité toute théorique, exploitée par Carl Sagan dans son roman *Contact*, est annihilée dans l'œuf par le fait que les trous de ver (si toutefois ils existent autrement que comme pure hypothèse mathématique) sont fondamentalement instables : sitôt formé, le tunnel serait détruit par la moindre particule ou le moindre rayonnement lumineux qui y pénétrerait. Stephen Hawking a érigé cette

1. Kip Thorne, *Trous noirs et distorsions du temps*, Paris, Flammarion, coll. « Champs-Flammarion », 1997, p. 518-559.

conclusion en un principe appelé la « conjecture de protection chronologique » : les machines à voyager dans le temps ne peuvent que s'autodétruire instantanément si l'on cherche à les construire. Elles sont donc impossibles, du moins dans les faits [1].

En somme, la physique contemporaine dit à peu près la même chose que l'expérience courante, à savoir que les voyages dans le temps sont très certainement chimériques. Un mot lapidaire de Rimbaud suggère d'ailleurs mieux les choses qu'une longue tirade bardée de calculs : « On ne part pas [2]. »

L'argument des physiciens pour dire qu'« on ne part pas » est le même que celui sur lequel ils s'appuient pour convenir que le temps ne saurait être cyclique. En effet, le principe de causalité, par son énoncé même, vient immédiatement empêcher les voyages dans le temps : ceux-ci permettraient par exemple de retourner dans le passé pour modifier une séquence d'événements ayant déjà eu lieu, c'est-à-dire de rétro-agir sur une cause qui a déjà produit ses effets. La causalité affirme qu'il n'y a qu'un seul temps, non cylique, et que l'ordre dans lequel les phénomènes causalement reliés se déroulent n'est pas arbitraire.

Le monde devient du même coup un endroit sûr pour les historiens : il ne peut y avoir qu'une seule chronologie. Le fait qu'un événement se soit passé, réellement passé, n'est pas susceptible d'être remis en question. Il

---

1. Voir à ce propos le livre de Gabriel Chardin, *Peut-on voyager dans le temps ?*, Paris, Le Pommier, coll. « Les petites pommes », 2002.

2. Arthur Rimbaud, « Mauvais sang », *Une saison en enfer* in *Œuvres complètes*, Paris, Gallimard, « Bibliothèque de la Pléiade », 1972, p. 96.

sera toujours « vrai » qu'il a eu lieu, même si aucune mémoire ne l'a emmagasiné, même s'il n'a laissé aucune trace, même si sa réalité est niée par la suite [1]. Vu sous cet angle, le passé devient une forteresse imprenable.

Mais faut-il pour autant croire au principe de causalité ? Notons d'abord que son expression formelle n'est pas uniforme. En physique classique, elle revient à simplement supposer que la forme du temps est linéaire et que nul ne rejoint le passé en allant vers l'avenir. Mais en relativité restreinte les visions classiques de l'espace et du temps sont ébranlées, ainsi que nous le verrons au prochain chapitre : ni les longueurs ni les durées ne sont quantités absolues, c'est-à-dire indépendantes du référentiel dans lequel elles sont mesurées. Dès lors, l'espace et le temps apparaissent comme intimement liés l'un à l'autre. Ils doivent être pensés ensemble au sein de l'« espace-temps ». Mais comment, dans cette soudure de temps et d'espace, intégrer le principe de causalité ? En affirmant l'impossibilité de transmettre de l'énergie ou de l'information à une vitesse supérieure à celle de la lumière dans le vide. Les voyages dans le temps et les renversements de chronologie entre événements causalement reliés s'en trouvent formellement empêchés.

1. Cette fixité du passé a toujours paru si peu discutable que même les théologiens les plus audacieux ont limité l'omnipotence divine en refusant d'accorder à Dieu le pouvoir exorbitant d'effacer ou de modifier le passé à sa guise, de récrire l'histoire autrement, de remettre le monde à plat, car ce pouvoir semble inconcevable. Même Dieu, reconnaissait par exemple Descartes, même Dieu dans sa version la plus « toute-puissante », ne peut faire que ce qui fut n'a pas été. Ainsi tout événement passé reste-t-il éternellement vrai.

En physique des particules, l'affaire devient plus délicate, car il s'agit de décrire des objets à la fois minuscules (subatomiques) et véloces. Son formalisme, c'est-à-dire le jeu d'équations sur lequel elle repose, doit donc réussir le mariage de la physique quantique, qui traite des objets très petits, et de la théorie de la relativité, qui traite des objets très rapides (ceux dont la vitesse n'est pas négligeable par rapport à celle de la lumière). Mais, si l'on ne prend pas de précaution, les équations obtenues laissent entrevoir des situations dans lesquelles la disparition d'une particule peut précéder son apparition ! Accepter de telles situations reviendrait à faire fi du cours du temps, voire à nier son existence. On peut empêcher qu'elles se produisent, au moins sur le papier, en ajoutant au formalisme des règles mathématiques supplémentaires, des sortes de « contraintes » qui garantissent que la création d'une particule précède nécessairement son annihilation [1].

1. Plus précisément, et pour ceux qui connaissent le jargon de la physique théorique, la causalité s'exprime au moyen de règles de commutation des opérateurs de champs. Un opérateur de création Φ^* (x) d'une particule au point d'espace-temps x et l'opérateur d'annihilation de cette même particule $\Phi(y)$ au point d'espace-temps y doivent commuter pour une séparation de x et de y du genre espace et ne pas commuter pour une séparation du genre temps : ces règles empêchent une particule de se propager sur une ligne du genre espace (ce qui voudrait dire que la particule se propagerait plus vite que la lumière) et, pour la propagation sur une ligne du genre temps, que la création de la particule a précédé son annihilation. Ces règles ne peuvent être satisfaites que si la décomposition en ondes planes des opérateurs de champ comportent des modes de fréquence négative. Que faire de ces modes qui, en physique quantique, correspondent à des énergies négatives, c'est-à-dire à des particules qui

Ces règles sont en quelque sorte le bras armé du principe de causalité puisqu'elles imposent le respect d'une chronologie bien définie entre deux types d'événements causalement reliés. Et c'est là que toute l'affaire commence : les calculs montrent que les nouvelles « contraintes » rendent nécessaire, là encore sur le papier, l'existence de nouvelles particules ! Et à la différence de toutes les particules connues, ces nouvelles particules ont une énergie négative ! Or à toute particule d'énergie négative devant correspondre une masse au repos elle aussi négative, elle se déplacerait, sous l'action d'une force – y compris celle de gravitation –, dans le sens contraire à celui d'une énergie positive ordinaire. En somme, elle nous semblerait « remonter le cours du temps » [1] ! Mais ce n'est qu'une apparence mathématique, car on peut formellement réinterpréter ces particules d'énergie négative comme étant des antiparticules d'énergie positive qui suivent le cours normal du temps…

---

remontent le cours du temps ? On les réinterprète comme étant des *antiparticules* qui suivent le cours normal du temps. Particule et antiparticule doivent avoir la même masse et des charges électriques opposées. Le concept d'antiparticule, et celui d'antimatière en général, est donc le prix à payer pour que le formalisme de la physique des particules (qu'on appelle la « théorie quantique des champs ») soit compatible avec la relativité et la causalité. Pour en savoir plus, on pourra lire l'article de Gilles Cohen-Tannoudji, intitulé « Le temps des processus élémentaires » dans *Le Temps et sa flèche*, Étienne Klein et Michel Spiro (dir.), Paris, Flammarion, coll. « Champs », 1996, p. 93-130.

1. Les antiparticules sont en effet mathématiquement équivalentes à des entités pour lesquelles le temps s'écoule en sens inverse, du futur vers le passé. Ce résultat, démontré par le physicien suisse E. C. G. Stückelberg, fut pris très au sérieux par R. Feynman et formalisé dans ses « diagrammes » éponymes.

C'est ainsi, en imposant aux particules le respect absolu du principe de causalité, que l'existence des antiparticules fut prédite par Paul Dirac dans les années 1930 [1]. La beauté de l'histoire vient de ce que cette prédiction étonnante fut rapidement confirmée par l'expérience : une quinzaine d'antiélectrons (aussi appelés positrons) furent détectés en 1932 dans le rayonnement cosmique par Carl Anderson [2]. Cette découverte démontrait que la causalité n'était pas une lubie de théoricien ! Plus tard, au milieu des années 1950, les premiers antiprotons et antineutrons furent produits grâce à de puissants accélérateurs. Constitutives de ce que l'on appelle l'antimatière, les antiparticules sont aujourd'hui bien connues. Une fois créées, elles suivent, comme tout le monde, le cours normal du temps, ainsi que l'avaient prévu les physiciens.

Alors, si l'on voulait résumer les choses en quelques phrases, comme au journal de 20 heures, on dirait ceci : l'existence, aujourd'hui démontrée, de l'antimatière est la preuve matérielle (ou plus exactement

1. Dans un premier temps, Dirac préféra dire que ces nouvelles particules d'énergie négative correspondaient à des protons plutôt qu'à des électrons de charge électrique positive. En 1930, le proton était en effet, avec l'électron, la seule particule élémentaire chargée connue, et Dirac ne voulait pas introduire une nouvelle entité que personne n'avait observée. Autres temps, autres mœurs…

2. En fait, quand Carl Anderson a découvert le positron, c'est-à-dire l'antiparticule associée à l'électron, il ignorait que son existence avait été prédite par Paul Dirac. Dans un premier temps, il lui attribua d'ailleurs une masse égale à un vingtième de la masse de l'électron, alors que l'équation de Dirac impose qu'une antiparticule ait exactement la même masse que la particule associée et une charge électrique opposée.

« antimatérielle ») du fait que le temps existe, que c'est un sens unique qui ordonne les événements conformément à ce qu'exige le principe de causalité. L'apparition des énergies négatives dans les équations ne manifestait finalement rien d'autre qu'une impossibilité : celle de voyager dans le temps.

Terminons par une ultime remarque : très souvent, nous associons le temps à l'espace au motif que nous sommes dans l'un et dans l'autre, que nous ne pouvons nous extraire ni de l'un ni de l'autre, que nous y sommes pour ainsi dire incarcérés. Tous deux nous apparaissent en effet sans extériorité. Il existe pourtant une différence essentielle entre les deux, qu'exprime justement la causalité, d'une part en orientant le cours du temps, d'autre part en interdisant la propagation instantanée de signaux dans l'espace : nous pouvons nous déplacer à notre guise à l'intérieur de l'espace, aller et venir (en principe) dans n'importe quelle direction, alors que nous ne pouvons pas changer volontairement notre place dans le temps. L'espace apparaît donc comme le lieu de notre liberté, arpentable à notre guise, tandis que le temps est telle une étreinte vis-à-vis de laquelle nous ne pouvons être que passifs : nous sommes « embarqués », pour parler comme Pascal. Cela a deux conséquences importantes. La première est philosophique : notre liberté, si tant est qu'elle existe, n'est pas légère comme la grâce, car nous sommes irrémissiblement enchaînés au présent. La seconde concerne les transports : tout trajet effectué dans l'espace est nécessairement chronophage. Rien ne se déplace en un rien de temps.

En clair, un aller et retour dans l'espace est toujours un aller sans retour dans le temps. En ville, cette règle demeurerait vraie même si les embouteillages venaient à cesser.

1905 : LE « MAINTENANT »
FAIT SES ADIEUX À L'UNIVERS

S'il nous arrive fréquemment de doter le temps de propriétés qu'il n'a pas, la physique, elle, le relie à des concepts que nous pensons intrinsèquement distincts de lui. C'est son côté œcuménique : il lui arrive d'unifier des catégories que les mots séparent. Ainsi, un beau jour de 1905, par l'entremise d'un certain Albert Einstein, elle rapprocha le temps de l'espace, et réciproquement. Cette nouvelle alliance fut aussitôt perçue comme une véritable révolution. On déplora plusieurs victimes dans le camp des préjugés. Le concept de simultanéité, notamment, jusqu'alors considéré comme absolu, perdit d'un coup ses plus beaux titres.

C'est sans doute un effet de notre éducation scolaire : dès qu'il est question de temps physique, nous vient à l'esprit un temps absolu universel, partout le même, qui s'écoule identiquement en tout point de l'Univers. Ce temps-là, indépendant de l'espace, autonome par rapport aux phénomènes physiques, indifférent au mouvement, c'est ce qu'on appelle le temps newtonien. Il a l'avantage de donner au mot « maintenant » un sens parfaitement clair et distinct : ce qui se passe « maintenant » pour moi se passe également « maintenant » pour tous les autres observateurs dans l'Univers. En d'autres termes, le concept de simultanéité est absolu : à tout instant, deux observateurs peuvent synchroniser leurs montres [1], et à tout instant ultérieur les deux montres restent synchronisées quels que soient les déplacements et les vitesses des deux observateurs en question puisque toutes deux demeurent en phase avec le temps newtonien. Deux événements qui apparaîtront simultanés aux yeux d'un observateur le seront donc également pour tous les autres.

Mais que démontre Einstein en 1905 ? Que le temps physique n'est pas newtonien et qu'il faut donc oublier tout cela. En couplant le temps à l'espace de façon quasi conjugale, il brise l'autonomie de l'un et de l'autre et modifie leurs propriétés. Cela ne signifie pas que l'espace soit devenu un nouvel habit du temps. Il acquiert plutôt un statut de partenaire, comme si l'un et l'autre trempaient en partie dans le

1. Ils peuvent le faire par exemple en échangeant des signaux lumineux : selon la physique newtonienne, la lumière se propage à vitesse infinie, de sorte que cette opération se réalise de façon instantanée.

même bain ontologique. Le concept de simultanéité ne s'est jamais remis de cette association.

Un peu d'histoire nous permettra de mieux comprendre les enjeux. À la fin du XIXᵉ siècle, la physique s'appuyait sur deux piliers : la mécanique newtonienne, d'une part, l'électromagnétisme de Maxwell, d'autre part. Ces deux théories semblaient exactes chacune dans son domaine, mais on ne tarda pas à constater que leurs principes respectifs se contredisaient.

La mécanique est fondée sur le principe de relativité, énoncé pour la première fois par l'incontournable Galilée. En vertu de ce principe, dans un avion volant à sa vitesse de croisière – Galilée ne parlait pas d'avion, mais de navire – les choses se déroulent de la même façon qu'au sol, lorsque l'avion est à l'arrêt : si une hôtesse laisse échapper de ses mains un verre d'eau, celui-ci tombe exactement de la même façon dans l'avion que si l'incident se produisait dans une cafétéria. Plus généralement, aucune expérience de physique ne permet de déterminer si l'on est dans l'avion en vol ou à l'arrêt au sol [1]. Le mouvement de l'avion est donc « comme rien », pour parler comme Galilée. La conséquence de ce principe de relativité est que rien n'est immobile dans l'absolu : tout bouge.

Quant à la théorie de l'électromagnétisme, elle explique que la lumière est constituée d'ondes. Or une onde, selon la conception d'un physicien du XIXᵉ siècle, c'est un phénomène qui progresse en faisant vibrer « quelque chose » du milieu dans lequel il se propage. Dans le cas d'une vague, ce qui vibre, c'est

1. Du moins tant que l'avion se déplace à vitesse constante et en ligne droite.

l'eau ou, plus exactement, la surface de l'eau. Dans le cas de la lumière, pensait-on au XIXᵉ siècle, ce qui vibre, c'est l'« éther ». On imaginait donc que l'Univers était rempli jusque dans ses moindres recoins d'un milieu, l'éther, dont l'existence semblait nécessaire à la propagation de la lumière. De quoi ce milieu était-il fait ? Était-il pesant, solide, liquide, élastique ? La théorie électromagnétique ne se hasardait qu'à des réponses vagues : l'éther est sans doute incolore, probablement sans poids… En fait, à mesure que les années passaient, l'éther fut dépouillé de presque toutes les propriétés physiques qu'on lui avait attribuées au départ, pour n'en conserver qu'une : l'immobilité absolue. Cette conclusion heurtait de plein fouet le principe de relativité, fondateur de la mécanique, l'autre pilier de la physique…

D'où le dilemme : ou bien on prenait au sérieux la théorie électromagnétique et on abandonnait du même coup le principe de relativité ; ou bien on prenait au sérieux le principe de relativité et on laissait tomber l'idée d'éther. Ce second choix sera celui d'Einstein, qui commence par proclamer la mort de l'éther : la propagation de la lumière ne résulte nullement de l'ébranlement d'un milieu, elle se produit dans le vide et rien ne vibre à son passage, si ce n'est elle-même [1]. Puis il pose en principe que la vitesse de la lumière est la même quelle que soit la vitesse de sa source et de l'observateur : lorsqu'une voiture s'approche de moi tous phares allumés, la lumière qu'elle

---

1. Plus exactement, les ondes électromagnétiques qui la constituent.

émet se propage à la même vitesse par rapport à moi que si cette voiture était à l'arrêt.

Ce dernier postulat impose de modifier la manière d'exprimer le principe de relativité afin de garantir l'invariance de la vitesse de la lumière lorsqu'on change de référentiel. D'un référentiel galiléen [1] à l'autre, les coordonnées d'espace et de temps ne se modifient plus de la même façon : le temps se transforme en partie en espace et l'espace se transforme en partie en temps. La frontière qui permet de les distinguer se met donc à dépendre de la vitesse du référentiel dans lequel on se trouve. Il faut par conséquent parler d'« espace-temps » plutôt que d'espace et de temps. Cela ne signifie pas que longeurs et durées soient des entités semblables, mais qu'elles deviennent l'une et l'autre relatives au référentiel dans lequel elles sont mesurées.

En se couplant à l'espace, le temps perd donc son autonomie et son idéalité newtoniennes. Il se met en somme à dépendre de la dynamique. Les conséquences ne sont pas uniquement philosophiques ou intangibles : toute horloge ralentira le rythme de ses battements aux yeux de tout observateur qui ne l'accompagne pas dans son mouvement. Ce ralentissement des horloges exprime l'élasticité des durées en relativité, c'est-à-dire leur relativité même. On l'observe couramment sur les particules instables, les muons par

1. Les référentiels galiléens sont les référentiels en translation rectiligne et uniforme les uns par rapport aux autres. La relativité, qu'elle soit de Galilée ou d'Einstein, en fait des référentiels équivalents au sens où les lois physiques s'y expriment de la même façon.

exemple [1]. Leur durée de vie « propre », c'est-à-dire celle mesurée lorsqu'on est immobile par rapport à eux, vaut quelques microsecondes (ensuite, ils se désintègrent en d'autres particules plus légères). Mais la durée de vie mesurée d'un muon ne coïncide avec cette durée propre que s'il naît et meurt en un même point de l'espace, c'est-à-dire uniquement s'il est immobile par rapport à l'observateur. Sinon, sa durée de vie effective est augmentée d'un facteur qui dépend de son énergie ou, si l'on préfère, de sa vitesse par rapport à l'observateur : plus il va vite, plus il dure, au point que, si sa vitesse est proche de celle de la lumière dans le vide, il a tout loisir de se manifester pendant une durée bien supérieure à sa durée de vie propre.

Autre conséquence, la notion de simultanéité, dont nous avons vu qu'elle était clairement garantie en physique newtonienne, cesse d'être absolue. Ce résultat découle directement du principe d'invariance de la vitesse de la lumière. Imaginons-nous à bord d'un vaisseau spatial et allumons une ampoule située au centre du cockpit. La lumière se déplaçant à la même vitesse dans toutes les directions, elle arrive exactement au même instant sur chacune des parois du cockpit. Imaginons maintenant qu'un observateur voie arriver notre vaisseau vers lui à grande vitesse : comme nous avançons dans sa direction, la lumière de notre ampoule, de vitesse invariante, rappelons-le, parcourera à ses yeux

1. Les muons sont des sortes d'électrons lourds produits naturellement dans la haute atmosphère par le rayonnement cosmique.

moins de distance pour parvenir jusqu'à la paroi arrière du cockpit et plus de distance à parcourir pour atteindre la paroi avant, de sorte que l'observateur verra la lumière atteindre d'abord la paroi arrière, puis la paroi avant. Deux événements simultanés pour nous ne le seront pas pour lui. Un observateur qui doublerait notre vaisseau puis s'en éloignerait verrait les choses dans l'ordre inverse : pour lui, la lumière frapperait d'abord la paroi avant, puis la paroi arrière. Cette inversion de la chronologie ne viole nullement la causalité puisque précisément les deux événements dont il est question ne sont pas causalement liés : étant à la fois distants et simultanés dans le référentiel du cockpit, aucun signal de vitesse finie n'a pu les mettre en relation.

D'une façon générale, ce qui nous est présent à un certain instant n'existe plus ou pas encore pour un observateur en déplacement par rapport à nous. Il devient donc impossible de définir un « instant présent » où se manifesteraient tous les phénomènes qui se produisent au même moment dans tout l'Univers. Le joli mot « maintenant » se trouve désormais dépourvu de signification dans l'absolu.

La relativité restreinte impose en outre qu'aucun objet observé ne nous soit contemporain. La lumière du Soleil met huit minutes pour parvenir jusqu'à nous, celle d'une étoile plus éloignée voyage pendant plusieurs années, celle d'une galaxie très lointaine jusqu'à quelques milliards d'années. On appelle « temps de regard en arrière » ce décalage temporel. Regarder loin dans l'espace, c'est donc regarder loin dans le passé et observer des tranches d'Univers d'autant plus anciennes qu'elles sont éloignées : cette galaxie lointaine, observée très jeune, surprise peu après sa naissance, nous apparaît telle qu'elle était il y a quelques milliards d'années ; telle autre, plus proche, se montre telle qu'elle était après avoir évolué pendant des milliards d'années. Ces deux objets qui nous semblent contemporains sont en réalité « saisis » à des âges différents. Les regardant, nous ne pouvons plus dire que nous voyons en eux le présent de l'Univers.

Toutes ces raisons font que nous ne pouvons plus parler de l'Univers comme d'une sorte de métronome universel. Existent désormais autant d'horloges fondamentales qu'il y a d'objets en mouvement uniforme. On ne peut pas les synchroniser de façon pérenne : on peut certes ajuster leurs cadrans à un certain moment, mais les heures indiquées cesseront de coïncider quelques instants plus tard. Chaque observateur constatera que les durées indiquées par les horloges autres que la sienne seront toujours dilatées.

Mais le principe de causalité, lui, continue d'être respecté, car si, pour un observateur, un événement A est antérieur à un événement B et si un signal lumineux a le temps de partir de A pour atteindre B (ce qui signifie que A et B sont causalement reliés), alors il en est de même pour n'importe quel autre observateur : l'événement A précédera l'événement B dans tous les référentiels équivalents. Les durées deviennent relatives, mais les notions de passé et de futur gardent un caractère absolu : passant d'un référentiel galiléen à un autre, on modifie les intervalles de temps séparant deux événements, mais on n'inverse jamais leur ordre dès lors qu'ils sont causalement reliés. Il faudrait pour cela dépasser la vitesse de la lumière, ce que précisément la théorie de la relativité interdit.

L'AVENIR EXISTE-T-IL DÉJÀ
DANS LE FUTUR ?

*L'avenir est inévitable, mais il peut ne pas
avoir lieu. Dieu veille aux intervalles.*

Jorge Luis Borges

*Celui qui parle de l'avenir est un coquin,
c'est l'actuel qui compte.*
*Invoquer la postérité, c'est faire un discours
aux asticots.*

Céline

L'avenir n'existe pas encore, donc il n'existe pas, concluait encore Aristote, ce qui semble ici imparable. Mais nous en parlons comme s'il allait advenir avec certitude, comme s'il nous était d'une certaine façon présent, comme si nous étions sûrs que plus tard il y aurait encore du présent, réservant nos incertitudes et nos interrogations non au fait que l'avenir sera, mais à la question de savoir de quoi il sera fait et ce qui s'y passera. De là l'ambiguïté de l'avenir : rien ne nous interdit de le voir accomplir tous les projets, jusqu'aux plus insensés, il n'offre aucune résistance apparente à

121

notre volonté, à nos désirs, à ceci près que nulle trame du futur n'est *a priori* certaine et que chacun de nous peut mourir dans la seconde qui suit, sans que rien ne le lui laisse présager. Le statut de l'avenir est donc des plus ambivalents : certain dans son existence, incertain dans sa forme.

Mais quel est le lieu de l'avenir ? À cette question, saint Augustin a répondu de façon très convaincante : l'avenir ne peut nous être présent que dans l'âme – ou dans la conscience, comme on dirait plutôt aujourd'hui – qui a seule la capacité (avec le rêve ?) de se représenter ce qui n'est pas, et notamment ce qui n'est pas encore. Pour se former, l'idée d'avenir suppose en effet l'attente puisque de la durée nous sépare de lui ; elle suppose également l'imagination puisque nous ne pouvons guère que l'anticiper de façon fictive ; elle suppose enfin la mémoire, seule capable de reconnaître ce que l'avenir aura de nécessairement répétitif, par exemple des automnes et des hivers, des printemps et des étés, des joies puis des peines, et encore des joies : la mémoire « meuble » l'avenir *a priori*. Sans elle, nous ne pourrions le penser que comme un grand trou.

Il semble donc entendu que l'avenir n'a d'existence que pour l'esprit, non en soi : c'est parce qu'on l'attend qu'il existe, non parce qu'il serait lié au présent ou au passé par des liens de nécessité, par la concaténation d'une antériorité qui le déterminerait. Mais déclarer que l'avenir existe seulement dans la conscience, et non dans le monde, c'est lui accorder une ontologie très spéciale : l'avenir ne serait en somme que « le corrélat imaginaire d'une conscience en attente [1] », comme le dit si bien André Comte-Sponville.

Il est arrivé – et il arrive encore – que certains physiciens, inspirés par la relativité einsteinienne, voient les choses autrement. Selon eux, le passé, le présent et l'avenir ont toujours été « déjà là », reliés indistinctement en une espèce de réalité intemporelle, de sorte que l'Univers n'a pas d'histoire proprement dite. Mais nous, les « observateurs », nous lui en attribuons une du fait que nous déroulons nous-mêmes le fil du temps. Ce point de vue était notamment celui défendu par Hermann Weyl, ami très proche d'Einstein [2] : « Le monde objectif tout simplement *est* ; il n'*advient* pas. C'est seulement au regard de ma conscience, avançant en rampant le long de la ligne d'univers de mon corps, qu'une section de ce monde vient à la vie dans l'espace comme une image fugace, qui change continuellement dans le temps. » Peut-être sommes-nous en effet les producteurs d'une histoire que l'Univers n'aurait pas sans nous : le monde ne passerait pas, mais nous le ferions passer en y passant. Tout aurait donc toujours été là, le passé, le présent et

1. André Comte-Sponville, *Dictionnaire philosophique*, Paris, PUF, 2001, p. 77.
2. Einstein lui-même a écrit dans sa correspondance privée (lettre écrite le 21 mars 1955 après la mort de son ami Michele Besso à la famille de ce dernier) que « pour nous autres, physiciens convaincus, la distinction entre passé, présent et futur n'est qu'une illusion, même si elle est tenace ». Même si son point de vue sur la question n'a pas toujours été aussi radical (peut-être voulait-il seulement consoler, par cette phrase, les proches du défunt ?), il reste qu'Einstein espérait bien ramener la physique à une pure géométrie, c'est-à-dire à un formalisme sans histoire.

le futur, mais du fait de notre propre parcours nous ne découvririons cette réalité temporellement déployée que pas à pas, seconde après seconde. Le « petit moteur » du temps, ce serait donc nous !

Aujourd'hui, le physicien Thibault Damour, spécialiste de la relativité générale, développe des idées qui vont dans le même sens mais à sa manière. Selon lui, le fait que le temps passe n'est qu'une illusion que nous devons au caractère irréversible de notre mise en mémoire : « De même que la notion de température n'a aucun sens si l'on considère un système constitué d'un petit nombre de particules, de même il est probable que la notion d'écoulement du temps n'a de sens que pour certains systèmes complexes, qui évoluent hors de l'équilibre thermodynamique, et qui gèrent d'une certaine façon les informations accumulées dans leur mémoire [1]. » Le temps ne serait donc qu'une apparence d'ordre psychologique, liée à la structuration très complexe de notre cerveau : dans le domaine d'espace-temps que nous observons, nous avons l'impression que le temps s'écoule « du bas vers le haut » de l'espace-temps, alors qu'en réalité ce dernier constitue un bloc rigide, dépourvu de toute dynamique interne.

Se pourrait-il donc – sérieusement – que nous soyons nous-mêmes le moteur du temps ? Cette thèse, qu'on la fonde sur la relativité générale ou sur un idéalisme philosophique, est aussi difficile à accepter qu'à exclure. Le mieux est donc d'avancer, à rebours des dogmatismes en tout genre, que cela reste une simple affaire de point de vue.

1. Thibault Damour, Jean-Claude Carrière, *Entretiens sur la multitude du monde*, Paris, Odile Jacob, 2002, p. 52.

LE TEMPS FAIT-IL FLÈCHE DE TOUT BOIS ?

> *L'intérêt que nous portons au Temps émane d'un snobisme de l'Irréparable.*
>
> Cioran

> *Le disciple : – Prenez une libellule, arrachez-lui les ailes, c'est un piment.*
> *Le maître : – Non, prenez un piment, ajoutez-lui des ailes, c'est une libellule.*
>
> Apologue zen

En 1929, le physicien britannique Arthur Eddington attribue au temps un curieux emblème, la flèche, que la mythologie attribuait jusqu'alors à Eros, le dieu de l'amour, représenté comme un enfant fessu et ailé qui blessait les cœurs de ses flèches aiguisées. Pour les physiciens, cette « flèche du temps » ne symbolise plus le désir amoureux, mais le constat qu'il est impossible de modifier le cours de certaines choses. Elle devient l'expression communément adoptée pour traduire de façon métaphorique l'« irréversibilité » de certains phénomènes physiques.

Sa définition est sans ambiguïté, mais le langage courant en introduit : nous confondons très souvent flèche du temps et cours du temps. Or ce sont deux choses très différentes. Le cours du temps relève de la causalité, du fait que le temps passe dans un seul sens, sans jamais faire machine arrière. La flèche du temps, elle, présuppose l'existence d'un cours du temps bien établi au sein duquel certains phénomènes sont eux-mêmes temporellement orientés, c'est-à-dire irréversibles : une fois accomplis, il est impossible d'annuler les effets qu'ils ont produits.

Entendons-nous bien : il n'est pas exclu que le cours du temps et la flèche du temps procèdent en définitive d'une seule et même réalité, plus profonde qu'eux, qu'ils soient l'un et l'autre des produits dérivés de phénomènes sous-jacents qu'une « nouvelle physique » mettra peut-être au jour [1], mais pour le moment il convient de les distinguer formellement.

Si le cours du temps est bien une caractéristique du temps, son squelette pourrait-on dire essentiel, la flèche du temps, elle, est seulement une propriété qu'ont ou n'ont pas les phénomènes physiques. On dit de ceux qui sont réversibles qu'ils n'ont pas de flèche temporelle et des autres qu'ils sont « fléchés ».

Nous avons vu comment la physique se représente le cours du temps, le lien qu'elle établit entre lui et l'antimatière. Que dit-elle de la mal nommée flèche

1. Certains auteurs envisagent qu'on puisse définir une « cau-salité sans temps », dont le cours du temps aussi bien que la flèche du temps seraient les produits dérivés. S'ils avaient raison, cela signifierait que la physique pourrait appréhender le moteur même du temps. Voir le livre de Marc Lachièze-Rey, *Au-delà de l'espace et du temps, la nouvelle physique*, Paris, Le Pommier, 2003.

du temps, qu'on devrait plutôt appeler « flèche des phénomènes » » ?

Depuis Newton, les physiciens se demandent si les phénomènes physiques peuvent ou non se dérouler « dans les deux sens » : ayant atteint un certain état final, peuvent-ils retourner à leur état initial ? Précisons qu'il ne s'agit nullement de savoir si l'on peut remonter dans le passé, mais de déterminer si les lois physiques autorisent ou non les systèmes physiques à retrouver plus tard, dans l'avenir, dans leur propre avenir, l'état qu'ils ont connu dans leur passé.

Imaginons une table de billard sur laquelle nous faisons entrer deux boules en collision. Après le choc, les deux boules repartent dans des directions opposées. Si les frottements sont négligeables, leurs vitesses resteront constantes. À présent, filmons la collision et projetons le film à l'envers, ce qui équivaut à interchanger les rôles respectifs du passé et de l'avenir. Ce qu'on voit alors sur l'écran, c'est une autre collision des deux boules en question, correspondant à celle qui s'est réellement produite, mais les vitesses des boules sont inversées.

Un spectateur qui ne verrait que la projection du film inversé serait incapable de dire si ce qu'il voit s'est réellement passé ou si le film a effectivement été projeté à l'envers. La raison de cette indétermination vient de ce que la deuxième collision est régie par les mêmes lois dynamiques que la première. Elle est donc tout aussi physique, au sens où elle est tout aussi réalisable que la collision originale. Une telle collision est donc « réversible » au sens où sa dynamique ne dépend pas de l'orientation du cours du temps. Cela ne signifie nullement que les boules entrant en collision voyagent dans le temps, mais que pour elles le cours du temps est arbitraire. Nous pourrions appeler passé ce que nous appelons avenir, et *vice versa*, sans affecter en quoi que ce soit le processus physique duquel elles participent.

Selon les équations de la physique actuelle, ce constat vaut également pour tous les phénomènes ayant lieu au niveau microscopique : ils sont réversibles, c'est-à-dire qu'ils peuvent se dérouler dans un sens aussi bien que dans l'autre. De là le problème dit de « la flèche du temps », car, à notre échelle, nous n'observons que des phénomènes irréversibles, donc fléchés : si nous filmons n'importe quelle scène de la vie courante et projetons ensuite le film à l'envers, nous constatons dès les premières images qu'il y a eu inversion du film. Cela vient de ce qu'à l'échelle macroscopique, en général, nous ne pouvons pas refaire ce qui a été défait, ni défaire ce qui a été fait.

Nous sommes là devant une énigme : comment expliquer l'émergence de l'irréversibilité observée à l'échelle macroscopique à partir de lois physiques qui l'ignorent à l'échelle microscopique [1] ? Cette question, dont les enjeux n'ont cessé d'évoluer, est ardemment discutée depuis bientôt deux siècles.

---

1. La réversibilité des équations microscopiques a des conséquences au niveau macroscopique par le biais des relations dites de Onsager, qui jouent sur l'échange possible entre les causes et les effets. Par exemple, le coefficient qui régit le courant de chaleur induit par un gradient de potentiel électrochimique (effet Peltier) est égal au coefficient qui régit le courant électrique engendré par un gradient thermique (effet Seebeck). On peut démontrer que de telles symétries sont le reflet de l'absence de flèche du temps au niveau microscopique.

La plus ancienne explication est fondée sur le deuxième principe de la thermodynamique, selon lequel tout système physique évolue en général sans revenir à sa configuration initiale. De l'eau tiède ne redevient jamais de l'eau chaude d'un côté, de l'eau froide de l'autre. Comment en est-on arrivé à ce résultat ? Au début du XIXe siècle, Carnot démontra que la transformation de la chaleur en énergie mécanique était limitée par le sens unique dans lequel s'effectuent les transferts de chaleur, qui se font toujours du chaud vers le froid. On comprit alors que la chaleur était dotée d'une qualité spéciale qui pouvait être mise en rapport avec l'irréversibilité.

Dans ses *Réflexions sur la puissance motrice du feu*, publiées en 1824, Carnot énonce les prémices du deuxième principe de la thermodynamique, qui sera repris en 1865 sous une forme plus rigoureuse par Clausius. Cette loi postule d'abord l'existence, pour tout système physique, d'une grandeur appelée entropie, fixée par l'état physique du système. Ensuite, elle indique que la quantité d'entropie contenue dans un système isolé ne peut que croître lors d'un quelconque événement physique. Ainsi, c'est parce que l'entropie totale d'un morceau de sucre et d'une tasse de café non sucré est inférieure à l'entropie d'une tasse de café sucré que le morceau de sucre n'a pas le choix : il doit se dissoudre dans le café. Phénomène irréversible : le sucre en train de fondre dans la tasse de café ne recouvrera jamais sa forme parallélépipédique ni sa blancheur. Le deuxième principe semble donc capable à lui seul de résoudre le problème de la flèche du temps. Mais méfions-nous des apparences.

À côté des équations microscopiques, qui sont toutes réversibles, des équations macroscopiques résument un comportement plus global de la matière et sont toujours irréversibles. Ainsi, l'équation de la chaleur établie par Joseph Fourier en 1811 indique que celle-ci circule toujours du chaud vers le froid, et non l'inverse. Mais, si l'on admet qu'un comportement global n'est jamais que l'assemblage d'un grand nombre d'événements élémentaires, les équations macroscopiques devraient pouvoir être déduites des équations microscopiques. Pourtant, les unes sont réversibles, les autres non. Comment remettre un peu d'ordre dans tout cela ?

Voulant approfondir cette question, Ludwig Boltzmann tenta de trouver un lien entre la mécanique newtonienne et le second principe de la thermodynamique. Comme il est impossible d'intégrer rigoureusement les comportements d'un très grand nombre de particules, Boltzmann eut recours aux lois de la statistique, abandonnant le calcul explicite des trajectoires pour celui des probabilités. Il constata en 1872 qu'on pouvait construire une grandeur mathématique, fonction des positions et des vitesses des molécules du gaz, ayant une propriété remarquable : sous l'influence des collisions entre molécules, cette grandeur ne pouvait que diminuer au cours de l'évolution vers l'équilibre (ou rester constante si le gaz était déjà à l'équilibre). Elle était donc, au signe près, l'analogue de l'entropie. Ainsi, l'agrégation statistique des équations réversibles de la dynamique des particules conduisait à une équation macroscopique irréversible. Boltzmann en déduisit que la croissance de l'entropie d'un système isolé exprimait simplement la tendance moyenne, manifestée par ce système, d'évoluer vers des états de plus en plus probables à l'échelle des molécules.

Mais ces calculs, qui parviennent à faire « surgir » l'irréversibilité à partir d'équations qui n'en contiennent point, laissent entendre que cette irréversibilité n'est qu'une apparence propre aux seuls systèmes macroscopiques, une propriété « émergente » des phénomènes mettant en jeu un très grand nombre de particules. En somme, elle serait de fait, non de principe. C'est d'ailleurs tout le sens du « théorème de récurrence » démontré en 1889 par Henri Poincaré. Que démontre-t-il en effet ? Que tout système classique évoluant selon des lois déterministes finit par revenir à un état proche de son état initial, au bout d'une durée plus ou moins longue, mais jamais infinie. Autrement dit, l'entropie pourrait diminuer et se rapprocher de sa valeur initiale. Par exemple, un gaz qui s'est dilaté reviendrait vers sa configuration comprimée si l'on attendait suffisamment longtemps. Cela permettrait de réparer un pneu crevé sans avoir besoin d'une pompe, avec seulement une rustine, de la colle et… une sacrée dose de patience, car en vérité les temps de récurrence sont très longs, supérieurs à l'âge de l'Univers dès que les systèmes mis en jeu contiennent quelques dizaines de particules. La récurrence de principe qu'invoque le théorème de Poincaré n'ayant jamais le temps de se produire pour les systèmes à notre échelle, elle équivaut bien, pour nous, à une irréversibilité de fait.

De là à dire que l'irréversibilité des phénomènes n'est qu'une illusion propre à notre échelle d'observation, il n'y a qu'un pas. Qui a été franchi par certains physiciens n'acceptant pas que l'irréversibilité puisse procéder de notre incapacité humaine à saisir l'intégralité des processus ayant cours dans le monde microscopique. Selon eux, quelque chose d'essentiel a dû échapper à la physique. Ilya Prigogine, par exemple, considère que l'irréversibilité macroscopique est l'expression d'un caractère aléatoire agissant déjà au niveau microscopique : « La description statistique introduit les processus irréversibles et la croissance de l'entropie, mais cette description ne doit rien à notre ignorance ou à un quelconque trait anthropocentrique. Elle résulte de la nature même des processus dynamiques [1]. »

Ainsi, au lieu de dire qu'il n'y a pas de flèche du temps, mais que le niveau macroscopique crée l'illusion qu'il y en a une, on peut proclamer qu'il y a une flèche du temps, mais que le niveau microscopique crée l'illusion qu'il n'y en a pas. Reste alors à déterminer précisément comment la flèche du temps pourrait percer l'édifice par ailleurs harmonieux de la physique microscopique, notoirement indifférent au message d'irréversibilité qu'elle porte.

D'autres interprétations de la flèche du temps s'appuient sur la physique quantique qui, pour décrire l'état d'un système physique, utilise une donnée mathématique qu'on appelle la fonction d'onde du système. En général, celle-ci est une somme de plusieurs termes distincts, chacun d'eux correspondant à une valeur possible d'une propriété physique du système (sa position, son énergie…). Une des originalités troublantes de la physique quantique vient de ce que,

---

1. Ilya Prigogine, *La Fin des certitudes*, Paris, Odile Jacob, 1996, p. 126.

lorsqu'on effectue une mesure sur le système, par exemple de son énergie, il se produit une modification brutale de la fonction d'onde : un seul terme de la somme qu'elle contient subsiste, qui correspond à la valeur de l'énergie effectivement mesurée. On dit que la fonction d'onde a été « réduite » par la mesure. Le choix du terme de la somme qui subsiste après cette réduction est parfaitement aléatoire, la fonction d'onde avant la mesure permettant seulement de calculer la probabilité que telle ou telle valeur soit sélectionnée. Si une opération de mesure est faite sur le système, un seul des résultats de mesure *a priori* possibles se réalise effectivement. La description mathématique du système est alors modifiée, comme si l'acte de mesure impliquait la production d'une « marque » irréversible sur le système.

Mais récemment des chercheurs ont montré que la réduction du paquet d'ondes relève en fait d'un mécanisme que la physique peut décrire elle-même. Leur théorie, dite de la décohérence, explique pourquoi les objets macroscopiques ont un comportement classique, tandis que les objets microscopiques, atomes et autres particules, ont un comportement quantique. Elle fait intervenir l'« environnement », constitué de tout ce qui baigne les objets, par exemple l'air dans lequel ils évoluent ou, si l'on fait le vide, le rayonnement ambiant. C'est leur interaction avec leur environnement qui fait très rapidement perdre aux objets macroscopiques leurs propriétés quantiques. L'environnement agit en somme comme un observateur qui mesure les systèmes en permanence, éliminant toutes les superpositions à l'échelle macroscopique. Ce processus de décohérence a pu être saisi au vol : plusieurs expériences récentes ont permis d'explorer, pour la première fois, la transition entre comportements quantique et classique [1]. On commence ainsi à comprendre comment la décohérence peut protéger le caractère classique du monde macroscopique. Elle pourrait également fournir une explication de l'irréversibilité dans le domaine quantique, qui ressemblerait à l'irréversibilité thermodynamique : l'évolution de la fonction d'onde serait en fait réversible, même lors de la mesure, mais notre regard macroscopique nous empêcherait de voir ce caractère réversible et engendrerait une irréversibilité apparente qui serait due, comme en thermodynamique, à l'impossibilité, pour l'observateur, de connaître la configuration d'un très grand nombre de degrés de liberté. Là encore, l'irréversibilité ne serait pas à mettre au compte des systèmes physiques eux-mêmes, mais résulterait de la description limitée que nous sommes capables d'en faire.

Des cosmologistes ont quant à eux suggéré que la flèche du temps pourrait découler de l'expansion même de l'Univers, qui orienterait tous les processus physiques selon un cours irréversible. Cela peut sembler contradictoire, car les équations de la relativité générale sont temporellement symétriques, mais en fait leurs solutions cosmologiques, celles qui régissent

1. On peut citer les expériences remarquables réalisées dans le département de physique de l'École normale supérieure par l'équipe de Serge Haroche (voir par exemple l'article de Serge Haroche, « Entanglement and Decoherence Studies with Atoms and Photons in a Cavity », dans *Physics of Entangled States*, edited by Robert Arvieu and Stefan Weigert, Frontier Group, 2002, p. 75-92).

l'évolution de l'Univers, ne le sont pas. L'Univers qu'elles décrivent est soit en expansion, soit en contraction, ce qui se manifeste par l'existence d'une flèche du temps cosmique. Certains physiciens se demandent même si cette flèche ne pourrait pas être la flèche maîtresse de toutes celles que nous avons citées.

Reste qu'aucune des explications avancées à ce jour ne peut être considérée comme complète [1]. Il n'existe pas pour l'heure d'unité théorique autour du problème de la flèche du temps, d'autant moins que certaines particules au comportement étrange sont venues compliquer l'imbroglio. Ces particules ont un drôle de nom : on les appelle les kaons neutres. Elles méritent un « petit détour », comme disent les guides touristiques.

---

1. Une liste complète (mais assez technique) de tous les arguments a été rédigée par H. D. Zeh : *The Physical Basis of the Direction of Time*, Springer-Verlag, Fourth edition, 2001.

LA BANDE DES KAONS MET LE TEMPS
SENS DESSUS DESSOUS

Tout cela viole le droit des neutres.
Victor Hugo

Les articles sont truffés d'erreurs.
Un seul n'en a jamais fait : moi !
Wolfgang Pauli

Les physiciens accordent beaucoup d'importance à la notion de symétrie. On peut même défendre l'idée que toute la physique théorique du XXᵉ siècle a été dominée par ce concept, et plus encore par son frère jumeau, la *brisure* de symétrie. Recherche de symétries et mise en évidence de petites violations ont été à l'origine d'importantes découvertes, notamment en physique des particules.

Bien sûr, ce sont les symétries géométriques, celles de la sphère ou du cylindre, par exemple, qui nous viennent d'abord à l'esprit. Mais il en existe d'autres, plus abstraites et d'une grande portée théorique, qui sont couramment utilisées par les physiciens des particules. Trois d'entre elles, profondément liées par un théorème fondamental de la physique, concernent directement ou indirectement la question du temps : le « renversement du temps », la « parité » et la « conjugaison de charge ».

L'opération « renversement du temps », notée T, consiste à imaginer sur le papier (dans les équations décrivant un phénomène) que le temps s'écoule du futur vers le passé [1]. Cela revient à inverser le sens du mouvement de tous les corps qui participent à ce phénomène, autrement dit à passer à l'envers le film de cet événement. On regarde ensuite les conséquences d'une telle opération : si le phénomène obtenu après renversement du temps est tout aussi physique que le phénomène de départ, c'est que les équations en question sont réversibles par rapport à la variable temps. Pour les phénomènes qu'elles décrivent, le sens du cours du temps est arbitraire.

La « parité » est l'opération qui consiste à regarder (encore une fois sur le papier) l'image d'un phénomène donné dans un miroir. On la note P. Prenons l'exemple d'un phénomène physique mettant en jeu une collision entre particules. Appliquer l'opération P à une telle situation consiste à imaginer ce que deviendrait ce phénomène s'il était observé dans un miroir. La nature des particules mises en jeu resterait, mais leurs positions seraient modifiées du fait de l'inversion entre la droite et la gauche. La question est alors de savoir si le « nouveau » phénomène peut ou non se réaliser dans la nature ou en laboratoire. Si la réponse est oui, on dit que l'expérience respecte la symétrie P. Dans le cas contraire, on dit qu'elle la viole ou qu'elle la brise.

1. En pratique, on change la variable temporelle t en son opposé $-t$.

À toute particule est par ailleurs associée une anti-particule, de même masse qu'elle et dont toutes les charges, notamment la charge électrique, sont opposées. La « conjugaison de charge » est précisément l'opération qui consiste à transformer (toujours sur le papier) une particule en son antiparticule, et *vice versa*. Par exemple, elle transforme l'électron en positron et le positron en électron, le proton en antiproton et l'antiproton en proton. Cette opération est notée C, pour « charge », en raison de l'inversion du signe des charges entre particule et antiparticule.

Partons d'une expérience réelle mettant en jeu une collision entre particules. Enregistrons soigneusement les vitesses et les positions de chacune des particules qui interviennent tout au long de l'expérience. Appliquons maintenant l'opération C : chaque fois qu'on rencontre une particule, on la remplace par son antiparticule et on lui impose de suivre exactement la même trajectoire que celle de la particule, mais en sens inverse. Par exemple, si on regarde une collision entre un proton et un neutron, l'opération C décrira la même collision, sauf qu'elle se produira entre un antiproton et un antineutron. Si, une fois l'opération accomplie, la nouvelle expérience peut se réaliser, on dira là encore que l'expérience respecte la symétrie C. Dans le cas contraire, comme d'habitude, on dira qu'elle la viole ou qu'elle la brise.

Ces trois opérations C, P, T peuvent bien sûr être combinées à volonté. On peut les effectuer dans n'importe quel ordre, par exemple en commençant par T, suivie de P, puis de C. On réalise ainsi l'« opération CPT », qui est très importante. Car elle ne modifie aucune des lois connues de la physique ! Autre-

139

ment dit, si l'on passe à l'envers le film de l'image dans un miroir de n'importe quel phénomène physique dans lequel on a échangé particules et antiparticules, on observe un phénomène aussi probable que celui dont on est parti, et régi par la même dynamique. Cela n'est pas un hasard. Dès 1940, Wolfgang Pauli avait pu démontrer que l'invariance par CPT de la dynamique des phénomènes physiques doit être postulée dans toute théorie physique « raisonnable », car elle exprime de la façon la plus formelle qui soit le bon vieux principe de… causalité ! Elle constitue donc le socle de la physique moderne. En conséquence, si une violation de l'invariance CPT venait à être observée, les fondements mêmes du modèle standard s'effondreraient. Mais, en pratique, que signifie cette invariance si essentielle ? Tout simplement que les lois physiques qui gouvernent notre monde sont rigoureusement identiques à celles d'un monde d'antimatière observé dans un miroir et où le temps s'écoulerait à l'envers. Ainsi se trouve confirmé le lien qui existe entre le cours du temps et l'antimatière. L'une des conséquences en est que la masse et la durée de vie des particules doivent être strictement égales à celles de leurs antiparticules.

Pendant longtemps, les physiciens ont cru que toutes les lois de la physique respectaient les trois symétries individuellement, notamment la symétrie P. N'est-il pas évident, lorsque nous voyons un arrangement d'objets dans un miroir, que nous pourrions réaliser cet arrangement dans la réalité *aussi* ? Pourtant, il fut découvert en 1957, à la surprise des physiciens des particules, que l'interaction nucléaire faible, celle qui est responsable notamment de la radioactivité β [1], ne respecte pas la symétrie P ! Autrement dit, l'image dans un miroir d'un phénomène régi par cette interaction correspond à un phénomène qui n'existe pas dans la nature. On ne peut pas non plus le produire en laboratoire.

Les physiciens se rassurèrent rapidement en démontrant que la violation de P dans les processus gouvernés par l'interaction faible était exactement compensée par une violation simultanée de C, de sorte que la symétrie globale PC demeurait préservée : si ces deux opérations sont réalisées successivement dans n'importe quel ordre, on retrouve les mêmes lois physiques. Cette invariance par CP, combinée à l'invariance CPT érigée en principe fondamental, garantissait l'invariance par T. Mais cette conclusion ne résista que quelques années. En 1964, nouvelle surprise : une expérience menée par James Christenson, Jim Cronin, Val Fitch et René Turlay permit de découvrir (par hasard…) que lorsque certaines particules (appelées kaons neutres [2]) se désintègrent elles ne respectent pas tout à fait l'invariance par CP ! La mort de ces particules, parfaitement naturelle au demeurant, est donc aussi une mort « violante ». Mais alors, si l'on suppose que l'invariance CPT est respectée dans ce processus comme dans tous les autres, il faut admettre que la symétrie T est elle aussi brisée, de façon à compenser exactement la symétrie CP. Il y aurait donc une asy-

---

1. La radioactivité β est le processus par lequel, dans un noyau atomique, un neutron se transforme en un proton en émettant un électron et un antineutrino.
2. Les kaons neutres sont des particules de courte durée de vie, formées d'un quark étrange et d'un antiquark.

métrie entre passé et futur pour les kaons neutres, une sorte de flèche du temps microscopique !

En 1998, une gigantesque expérience du CERN, baptisée CPLEAR, a conclu que c'est effectivement le cas. On savait depuis longtemps qu'au cours du temps les kaons neutres se transforment en leurs propres antiparticules, qui à leur tour se retransforment en kaons neutres, mais l'expérience CPLEAR a pu montrer que le rythme auquel un kaon neutre se transforme en son antiparticule n'est pas exactement le même que celui du processus inverse, contrairement à ce que la symétrie T prévoyait. Ainsi fut mesurée, pour la première fois, une différence entre un processus microscopique et son inverse temporel. Mais l'origine profonde de cette violation concomitante de T et de CP n'est pas vraiment comprise.

L'affaire est donc trouble. D'autant qu'elle ne s'est pas arrêtée là. Une nouvelle expérience menée aux États-Unis et appelée Babar vient d'établir que d'autres particules, les mésons beaux [1], ne respectent pas non plus la symétrie CP lorsqu'elles se désintègrent en d'autres particules plus légères. Ce résultat, prédit par le modèle standard, apporte une réponse à une énigme de la physique des particules datant de plus de trente-sept ans. En effet, depuis l'observation initiale de la violation de la symétrie CP dans la désintégration des kaons neutres, les physiciens se demandaient

1. Tout méson est formé d'un quark et d'un antiquark. Les mésons beaux sont ainsi qualifiés non en raison d'une quelconque prérogative d'ordre esthétique, mais parce qu'ils comportent un quark ou un antiquark « beau », eux-mêmes ne devant leur nom qu'à des arguments purement contingents.

si ce phénomène leur était propre ou s'il s'agissait au contraire d'une règle plus générale.

Ce résultat pourrait en outre aider à résoudre un vieux problème de la physique, si fascinant que nous allons l'évoquer bien qu'il ne soit pas directement lié au temps. On sait aujourd'hui que l'Univers est constitué presque exclusivement de matière, mais qu'il n'en a pas toujours été ainsi : dans son passé lointain, l'Univers contenait presque autant d'antiparticules que de particules. La question – en forme d'énigme – qui se pose est donc la suivante : étant donné que particules et antiparticules ont des propriétés symétriques, comment se fait-il que notre monde soit constitué des premières plutôt que des secondes ?

Pour y voir plus clair, retraçons les grandes étapes du dossier. Les galaxies sont des îlots de matière dans l'espace. Certaines d'entre elles ne pourraient-elles pas être exclusivement composées d'antimatière ? Cette hypothèse n'a pas résisté aux observations, car l'existence de collisions entre galaxies de matière et galaxies d'antimatière devrait produire, par annihilation, un rayonnement très énergétique et très intense, occupant toutes les directions du ciel, mais qui n'a justement jamais été observé. En outre, personne n'est parvenu à imaginer un processus qui aurait pu séparer totalement la matière de l'antimatière, de telle façon qu'elles puissent former ensuite de grandes stuctures homogènes. Nous sommes donc condamnés à admettre l'existence d'une dissymétrie radicale dans notre Univers : la matière y domine, l'antimatière en a été éliminée.

Le modèle standard de la cosmologie prédit que l'Univers primordial devait contenir autant de matière que d'antimatière, toutes deux à l'équilibre, s'annihilant et se créant en permanence au sein d'un gaz de photons. L'expansion de l'Univers est venue refroidir progressivement ce milieu, diminuant l'énergie disponible dans un volume donné. Les particules les plus massives, qui requièrent davantage d'énergie pour se matérialiser, ont disparu les premières, donnant naissance par leur désintégration à d'autres particules moins lourdes. Les plus légères ont subsisté, leurs distances mutuelles augmentant progressivement du fait de l'expansion. Leur densité a décru corrélativement, rendant les annihilations de moins en moins fréquentes. Mais tout cela n'a pas suffi à déséquilibrer les quantités de matière et d'antimatière. Reste donc à imaginer un mécanisme par lequel la seconde a pu disparaître au profit de la première dans un passé très lointain de l'Univers.

C'est Andreï Sakharov qui, le premier, en 1967, envisagea la possibilité d'un excédent ténu de matière sur l'antimatière, indiquant au passage les trois conditions nécessaires à l'apparition d'une telle dissymétrie [1]. Parmi elles figurent précisément... la violation

1. Andreï Sakharov s'était posé la question suivante : à quelles conditions est-il possible de construire un Univers principalement composé de matière à partir d'un Univers initialement symétrique, c'est-à-dire contenant au départ autant de particules que d'antiparticules ? Il démontra que trois conditions doivent être réunies. La première est la non-conservation du « nombre baryonique », défini comme la différence entre le nombre de quarks et le nombre d'antiquarks. Aucune preuve expérimentale de cette éventuelle non-conservation n'a été obtenue, malgré de très longues recherches sur la possible désintégration du proton (le proton étant le baryon le plus léger, il doit être stable si le nombre baryonique est conservé ou bien, dans le cas contraire, pouvoir se désintégrer en des particules non baryoniques). La deuxième condition de Sakharov est la

de la symétrie CP, donc celle de la symétrie T ! La structure du macrocosme se trouvait ainsi liée aux lois du microcosme. Sakharov expliquait que si ses trois conditions ont bien été satisfaites, le nombre de protons et de neutrons produits au début de l'Univers (et qui constituent notre matière actuelle) a pu être très légèrement supérieur à celui des antiprotons et des antineutrons. Après l'annihilation de l'antimatière par la matière, toute l'antimatière aurait disparu, mais l'excédent de matière, qui était extrêmement faible (dans la proportion de 1 pour 1 milliard environ), aurait subsisté : il constituerait la matière que nous observons aujourd'hui ainsi que celle dont nous sommes faits. La matière de l'Univers actuel serait donc l'improbable rescapée d'un gigantesque carnage. C'est cette élégante conjecture qui a été en partie confirmée par les expériences que nous venons d'évoquer.

Et voilà comment, enquêtant d'abord sur une affaire de viol concernant de minuscules objets, on est amené à s'interroger sur la structuration globale de l'Univers primordial, il y a quinze milliards d'années. Cela montre, d'une part, que l'infiniment petit et l'infiniment grand sont solidaires, unis par une même filiation, d'autre part, que certains phénomènes observables aujourd'hui font apparaître le passé qui a sédimenté dans l'Univers. La physique, avare de ses privilèges, interdirait-elle les voyages dans le temps, sauf pour elle-même ?

---

violation de C ou de CP permettant de distinguer la matière de l'antimatière. La troisième est qu'il y a un déséquilibre thermique de l'Univers permettant de « faire pencher la balance » du côté de la matière.

2002 : LE TEMPS COSMIQUE
S'ACCÉLÈRE-T-IL ?

C'est très facile, tu n'as qu'à enfoncer la pédale jusqu'au bout.

Louis Lachenal

– Je ne sais pas ce qu'est le destin.
– Je vais te le dire. C'est simplement la forme accélérée du temps. C'est épouvantable.

Jean Giraudoux,
La guerre de Troie n'aura pas lieu

Nous n'avons plus le temps d'avoir le temps. La logique du chrono a envahi notre chronologie, nous transformant en esclaves de la vitesse, en « turbo-bécassines », en « cyber-gédéons », pour parler comme le regretté Gilles Châtelet [1]. La vie moderne nous impose en effet un rythme jamais connu auparavant : celui du temps contraint, comprimé, encadré, qui se transpose en un ensemble de sujétions et de figures

1. Gilles Châtelet, *Vivre et penser comme des porcs*, Paris, Gallimard, coll. « Folio », 1998.

147

imposées. Alors, comme à bout de souffle, nous nous exclamons : « Le temps s'est accéléré ! »

Dans le même temps, des astrophysiciens (qui ne sont pas des physiciens atroces) ont découvert que l'expansion de l'Univers s'accélère elle aussi ! Tout irait donc vraiment plus vite ? Allons voir les choses de plus près, et calmement.

Grâce à la mise en service de nouveaux moyens de détection, de très nombreuses données ont pu être recueillies et les astrophysiciens sont notamment parvenus à analyser précisément la lumière émise par les supernovae lointaines, dites « de type Ia ». Et ce qu'ils viennent de découvrir ne laisse pas de les étonner.

Les supernovae de type Ia correspondent à des explosions d'une extraordinaire brillance. Elles sont constituées d'une petite étoile très dense, appelée naine blanche, accouplée à une étoile-compagnon plus massive, le plus souvent une géante rouge. Les naines blanches ont une masse à peu près égale à celle du Soleil, mais concentrée dans un volume égal à celui de la Terre, de sorte que leur champ gravitationnel est très intense. D'où leur terrible voracité : elles arrachent puis absorbent goulûment la matière de leur compagne. Cette orgie augmente leur masse et leur densité, jusqu'à provoquer une explosion nucléaire gigantesque. Celle-ci, rendue visible par l'émission d'une lumière très vive, est ce qu'on appelle une supernova de type Ia. Un tel objet peut briller pendant plusieurs jours autant qu'un milliard de soleils.

L'intérêt que les astrophysiciens portent à ces événements vient de ce qu'ils leur servent d'étalons lumineux : ils constituent des « bougies standard » permettant d'arpenter l'Univers à grande échelle et de mesurer certains paramètres cosmologiques. Cette vertu vient de ce que leurs « courbes de lumière » se ressemblent étroitement, avec d'abord un pic de brillance qui dure quelques semaines, suivi d'un affaiblissement plus lent. Cette ressemblance est facile à expliquer : ces différentes courbes de lumière proviennent d'objets semblables, dont les mécanismes d'explosion sont identiques, si bien qu'elles présentent la même structure temporelle. La seule différence entre deux courbes de lumière ne peut donc venir que de la distance : plus la supernova est éloignée, plus la lumière que nous recevons d'elle est faible. À partir d'une mesure de l'intensité de cette lumière, on peut donc calculer la distance de l'étoile qui l'a émise.

Plus d'une cinquantaine de ces supernovae de type Ia ont été étudiées à ce jour, jusqu'à des distances de six à sept milliards d'années-lumière [1]. Les résultats obtenus sont surprenants : ces supernovae semblent plus éloignées que ce qui était attendu ! Plus exactement, leur position laisse supposer que l'expansion de l'Univers serait en phase d'accélération depuis plusieurs milliards d'années. Qu'est-ce à dire ? Dans le processus d'expansion, la gravitation, toujours attractive, fait office de frein : elle tend à rapprocher les objets massifs les uns des autres. Mais ce que semblent montrer ces nouvelles mesures, c'est qu'un autre processus s'oppose à elle en jouant un rôle d'accélérateur. Tout se passe comme si une sorte d'« antigravité » avait pris la direction des affaires. Cette nouvelle donne doit être prise au sérieux, car en avril 2002 une

---

1. Différents instruments ont été utilisés, notamment le télescope spatial Hubble.

autre équipe de chercheurs a obtenu des résultats similaires par une autre méthode [1].

Ces conclusions, si elles se confirment, obligent à
donner une valeur positive à la « constante cosmologique », ce paramètre qu'Einstein avait introduit,
en désespoir de cause, dans les équations de la relativité générale. À l'époque où il les avait écrites,
l'expansion de l'Univers n'avait pas encore été découverte et Einstein, comme pratiquement tous ses
confrères, était convaincu que l'Univers ne pouvait
être que statique [2]. Or l'Univers ne peut être station-
naire que si la force de gravitation, par laquelle la
matière attire la matière, est compensée par autre
chose. Sinon, il s'effondre inéluctablement sur lui-
même. Einstein avait donc introduit dans ses équations un nouveau terme, la constante cosmologique
précisément, dont l'influence est analogue à celle
d'une énergie exerçant une pression négative : elle
correspond en quelque sorte à une gravité répulsive,
ou plus exactement à une répulsion de l'espace vis-à-
vis de lui-même.

À la suite de la découverte par Erwin Hubble de la
fuite des galaxies et de l'expansion de l'Univers, Eins-

1. Cette équipe a comparé les structures observables dans le
bruit de fond cosmique, ce rayonnement fossile émis 300 000
ans après le big bang, avec celles des 250 000 galaxies regroupées
en amas qui ont été recensées dans un programme d'observation
systématique. Ces résultats invitent eux aussi à attribuer à la
constante cosmologique une valeur positive.
2. Ce n'était nullement déraisonnable puisque les vitesses
relatives des étoiles connues à cette époque étaient toutes très
faibles et on ignorait encore qu'existent d'autres galaxies que la
nôtre.

tein se rangea (après moultes hésitations) à l'idée que cette constante n'avait plus de raison d'être et qu'il avait eu tort de l'introduire dans ses propres équations. Il publia à ce propos un article célèbre, souvent cité mais peu lu [1]. Mais la plupart des cosmologistes pensent aujourd'hui que la constante cosmologique n'a aucune raison d'être nulle. Elle pourrait avoir une valeur *a priori* quelconque.

Lorsqu'elle est positive, la constante cosmologique correspond à une sorte de répulsion de l'espace vis-à-vis de lui-même. Elle devrait donc imprimer une accélération de l'expansion de l'Univers. Mais l'affaire n'est peut-être pas aussi simple. Il convient de veiller à ne pas attribuer à la constante cosmologique des vertus qu'elle n'a peut-être pas. Car on ne peut exclure l'existence de « substances » encore inconnues, dont les effets seraient similaires aux siens. Par exemple, une matière « exotique », représentant jusqu'à soixante-dix pour cent de la contribution totale à la masse de l'Univers, pourrait être, elle aussi, l'agent de l'accélération de

---

1. En 1931, Albert Einstein écrit seul un article très important dans lequel il explique que la découverte de l'expansion de l'Univers par Erwin Hubble rend superflue la constante cosmologique qu'il avait initialement introduite dans ses équations de la relativité générale. Cet article fut publié dans les *Sitzungsberichte der Preussischen Akademie der Wissenschaft* et ses références exactes sont : Einstein. A. (1931). Sitzungsber. Preuss. Akad. Wiss. 235-37.

Un très grand nombre d'auteurs ont cité cet article sans l'avoir jamais lu, semble-t-il, de sorte que les recopies successives ont progressivement modifié ces références, introduit des erreurs au point de finalement faire apparaître un coauteur d'Einstein, inconnu au bataillon et signalé en caractères gras ci-après. On trouve par exemple dans la littérature les versions suivantes :

l'expansion de l'Univers à condition que ses propriétés physiques ne soient pas du tout celles de la matière standard (elle devrait en particulier avoir une pression négative, c'est-à-dire exercer une force répulsive). La question de la nature physique de cette nouvelle matière est posée. Un des candidats est le vide quantique (qui n'est nullement le néant), mais rien ne permet d'affirmer que celui-ci exerce une influence gravitationnelle sur l'Univers. D'autres candidats sont envisagés, un champ scalaire par exemple, qu'on appelle parfois la « quintessence », dont la structure serait telle qu'il pourrait être à l'origine de cette expansion accélérée. Quoi qu'il en soit, il semble désormais acquis que la matière ordinaire, celle qui est benoîtement composée d'atomes, n'est qu'une frange de la matière de l'Univers, son écume visible, en quelque sorte.

Cette accélération de l'expansion de l'Univers affecte-t-elle le cours du temps ? Selon certaines théories actuellement ébauchées, comme la « cosmologie quantique », l'expansion de l'Univers pourrait être le

---

– Einstein. A. (1931). Sitzsber. Preuss. Akad. Wiss. 235-37 ; Einstein. A. (1931). Sitsber. Preuss. Akad. Wiss. 235-37 ; Einstein. A. (1931). Sber. preuss. Akad. Wiss. 235-37 ; Einstein. A. (1931). Sb. Preuss. Akad. Wiss. 235-37 ; Einstein. A. S.-B. Preuss. Akad. Wiss. 1931. 235-37 ; Einstein. A. S. B. Preuss. Akad. Wiss. 1931. 235-37 ; Einstein, A., and **Preuss, S. B.,** (1931), Akad. Wiss. 235-37.
Nul doute qu'un jour un historien des sciences s'intéressera au cas singulier du jeune physicien S. B. Preuss, qui écrivit un seul article, mais capital, avant de disparaître de la scène. Héraclite avait finalement raison : il est vraiment impossible de répéter les choses à l'identique !

véritable moteur du temps [1] : si elle s'accélère, c'est-à-dire si le moteur du temps augmente son régime, le cours du temps devrait lui-même « s'accélérer » (si tant est qu'on puisse donner un sens à cette expression [2]).

Ce phénomène d'accélération de l'expansion cosmique pourrait-il être à l'origine de l'impression (unanimement partagée, semble-t-il) que nos vies s'accélèrent ? Non, bien sûr, car il est imperceptible à notre échelle et reste de toute façon à confirmer. Sous prétexte que nous faisons tout plus vite, que tout s'accélère autour de nous, nous déclarons à l'envi que c'est le temps lui-même qui s'accélère. Le temps, lui, n'accélère pas. Il est ce qu'il est, indifférent à nos agitations, indépendant de nos actes, de nos humeurs, de nos impatiences : une heure dure une heure, que nous la passions à jouer tranquillement aux boules, à souffrir mille morts chez le dentiste ou à danser dans les

---

1. Certains physiciens, dont Stephen Hawking et Roger Penrose, estiment en effet que le cours du temps, ainsi que la flèche du temps, pourraient résulter de l'irréversibilité temporelle cosmique fondamentale, c'est-à-dire de l'expansion de l'Univers. Ils correspondraient donc à des propriétés « émergentes » de la théorie. Dans des versions simplifiées de la cosmologie quantique, le volume de l'Univers est utilisé comme une horloge cosmique. Une question se pose alors : si l'Univers, après son expansion, entrait en phase de contraction, cela impliquerait-il un renversement du cours du temps ? (voir S. Hawking et R. Penrose, *La Nature de l'espace et du temps*, Paris, Gallimard, 1997).

2. Nous avons déjà expliqué que le concept de vitesse du temps n'a guère de sens puisque toute vitesse est une dérivée par rapport… au temps. Le concept d'« accélération du temps » n'est pas plus limpide puisque toute accélération est la dérivée d'une vitesse par rapport au temps…

bras de l'être aimé. En quoi le cours du temps devrait-il dépendre de notre emploi du temps ? En rien, bien sûr. Mais c'est toujours la même chose, ce même terrible penchant par lequel nous persistons à attribuer au temps les caractéristiques des phénomènes qu'il contient. Or ce n'est pas parce que la durée qui nous est nécessaire pour faire telle ou telle chose raccourcit que le temps lui-même va plus vite.

Nous croyons reconnaître une accélération du temps là où il n'y a qu'un éclatement de la réalité, une croissance de la production, une exubérance du devenir, une parousie des télécommunications : de plus en plus de marchandises, de moins en moins de temps de travail, apparition et disparition des choses à grande cadence, suppression apparente des distances... Cette insistance avec laquelle nous confondons temps et vitesse – ou temps et agitation – en dit d'ailleurs long sur notre rapport à la modernité : si nous identifions le temps à la matérialité du changement, au dynamisme de nos actions, au rythme de nos échanges, n'est-ce pas parce que nous croyons que plus il y a d'innovation, plus la réalité se multiplie et se diversifie, plus il y a de temporalité en acte ?

La tendance explosive de nos sociétés semble ainsi conduire à ne plus distinguer le temps de ce que nous produisons en lui. Si cinq cent milliers d'années ont séparé l'invention du feu de celle de l'arme à feu, six cents ans ont suffi pour passer de l'arme à feu au feu nucléaire. À présent, les fabricants proposent chaque année une « nouvelle génération » de leurs produits. Le « périmé » augmente même si rapidement que bientôt la vitesse de la lumière, les pastilles Vichy et surtout les Rolling Stones resteront nos seuls étalons d'invariance.

C'est plus fort que nous : l'idée de vitesse nous fascine. Sans doute y a-t-il quelque métaphysique cachée là derrière : parce que nous avons le sentiment d'être secrètement séparés de nous-mêmes par notre propre attente, nous avons aussi le sentiment que ce qui abrégerait cette attente nous rapprocherait de nous-mêmes.

Voilà pourquoi, chaque fois qu'il est question d'accélération et de rapidité, nous sommes comme des navigateurs sentant se lever le vent et déjà guettant l'horizon, comme si se profilaient la terre promise, la fin de l'attente.

DU TEMPS… SEULEMENT
DE TEMPS EN TEMPS ?

Monsieur Ulysse à ce banquet
Prit un très important hoquet,
Et comme il est fort malhonnête
De hoqueter dans une fête,
Il but à la santé du dieu,
Fit un hoc, et puis dit adieu.

Marivaux

Voir la montagne
Ne plus voir la montagne
Re-voir la montagne.

Qing-deng

N'aimant ni les complications stériles ni les hypothèses inutiles, la physique a préféré considérer, tout au long de son histoire, que l'espace et le temps sont des entités « lisses » et qu'on peut donc les représenter par des grandeurs continues. Il y aurait partout de l'espace et toujours du temps, sans trouée possible, de sorte qu'on peut envisager des longueurs ou bien des durées aussi petites que l'on veut, sans jamais atteindre de limite [1].

1. On pourrait penser qu'Aristote, en définissant le temps comme « le nombre du mouvement selon l'avant et l'après »,

157

Cette conception semble si naturelle qu'elle est passée dans la culture commune comme une lettre à la poste. Y renoncer, ne serait-ce pas s'exposer à d'énormes difficultés ? Supposons que le temps soit discontinu, « discret », comme disent les physiciens, c'est-à-dire constitué d'instants particuliers, séparés les uns des autres par des durées privées de temps. Comment le cours du temps pourrait-il sans cesse s'arrêter, puis sans cesse redémarrer, comme pris de hoquet ? Et combien de temps dureraient les périodes privées de temps ? Il semble impossible de concevoir qu'il n'y ait du temps que… de temps en temps ! L'idée d'un temps discontinu ou intermittent, avec des tic et des tac mais sans rien « entre », nous ramène immanquablement aux difficultés qu'il y a à concevoir un temps arrêté, que cet arrêt soit transitoire ou définitif.

Mais cette idée sera-t-elle éternellement rejetée ? Après tout, il est déjà arrivé dans l'histoire de la physique que le discontinu survienne là où l'on n'imaginait que le continu. Songeons à la découverte des *quanta* au début du XXe siècle. Jusqu'alors, les physiciens étaient persuadés, avec toutes les apparences de la raison, que la continuité de l'espace et du temps entraînait celle de la vitesse et, de là, celle de l'énergie. Mais

---

proposait une conception discontinue du temps. Ce serait oublier qu'il ajoutait aussitôt après que le temps était selon lui « continu », car il appartenait à un continuum, qui est le mouvement, conçu par Aristote comme un acte inachevé et en voie d'achèvement. Si bien que l'idée de « nombre » ne doit pas faire ici penser à une quantité « discrète », comme le sont les nombres entiers 1, 2, 3…, mais à ce que nous appelons aujourd'hui une « grandeur », terme qu'Aristote réservait à la grandeur spatiale.

les travaux de Max Planck à propos du corps noir les convainquirent brutalement qu'ils s'étaient longuement trompés : les échanges d'énergie entre le rayonnement et la matière ne peuvent jamais se faire que par paquets discontinus. Il ne faut donc pas avoir trop de scrupules *a priori* quand on évoque la question de la continuité ou de la discontinuité de l'espace et du temps. Du moins est-on autorisé à la poser sans avoir le sentiment de commettre un crime de lèse-majesté.

D'autant que, s'agissant de l'espace, sa continuité supposée n'est pas sans créer quelques tourments du fait qu'elle permet de prendre en compte des longueurs infimes, et même nulles. Considérons par exemple le champ électrique produit par une charge électrique, disons un électron, à une certaine distance de celui-ci : ce champ, variant comme l'inverse du carré de la distance, devient infini lorsque celle-ci s'annule ! De telles divergences ou « singularités » conduisent à des difficultés mathématiques dont on se débarrasse en général grâce à différents procédés de calcul qui permettent soit de les abolir, soit de les neutraliser.

Mais on peut aussi envisager une autre piste, beaucoup plus audacieuse. Elle revient à imaginer que l'espace lui-même pourrait être discret, non continu, c'est-à-dire structuré selon une sorte de réseau, dont la maille, finie et non nulle, représenterait une distance minimale au-dessous de laquelle il serait impossible de descendre. Toute divergence serait ainsi évitée. Mais aussitôt de nouveaux problèmes surgissent. Par exemple, un tel réseau introduirait des directions privilégiées qui détruiraient l'isotropie de l'espace, c'est-à-dire son invariance par rotation. Or cette invariance joue, avec d'autres symétries du même type, un rôle fondamental dans toute la physique en imposant des lois de conservation très contraignantes [1]. L'hypothèse d'une discontinuité de l'espace ressemblerait donc à une impasse.

Mais récemment la donne a brusquement changé : une nouvelle piste s'est ouverte dans le prolongement des travaux effectués dans les années 1980 par Alain Connes. Ceux-ci concernent les géométries dites « non commutatives », qui permettent de considérer des structures présentant un caractère discontinu sans que cela brise les symétries fondamentales. Pour construire ces nouvelles géométries, il faut remplacer les coordonnées spatiales usuelles, qui sont des nombres ordinaires, par des « opérateurs algébriques » qui ont la propriété de ne pas commuter entre eux. Cela signifie que l'ordre de leur application n'est pas indifférent. Ces opérateurs algébriques ne sont pas quelconques : ils vérifient certaines relations qui définissent les propriétés de l'espace à toute petite échelle. Il y a donc toujours de l'« espace », plus exactement une structure spatiale, mais celle-ci n'en a pas les propriétés ordinaires quand on l'examine très finement. Ce qui fait la beauté – et aussi la force théorique – de ces nouvelles constructions est qu'à plus grande échelle elles restituent les propriétés habituelles de l'espace. Nous sommes donc par elles invités à consi-

---

1. L'invariance par rotation dans l'espace est à l'origine (en vertu du théorème de Noether présenté plus haut) de la conservation de ce que l'on appelle le « moment cinétique » et qui fait, entre autres choses, qu'une patineuse tourne plus vite sur elle-même si elle resserre ses bras. En vertu de la parité, le même effet se retrouve chez les patineurs.

dérer que l'espace tel que nous le connaissons émerge en réalité d'une structure sous-jacente très différente de lui. Par exemple, l'aspect lisse de l'espace, sa continuité apparente, serait comme une écume surnageant au-dessus d'un réseau discontinu de points. Tout se passe comme si l'Univers avait dû d'abord « gonfler » avant que l'espace revête l'allure mathématiquement sereine qu'on lui connaît aujourd'hui. On peut comparer cette situation à ce qui se produit lorsqu'on regarde de très près un écran de télévision : le nez collé dessus, on ne voit que des points de trois couleurs différentes, mais pas d'image proprement dite ; l'image apparaît progressivement si l'on s'éloigne, et avec elle des couleurs nouvelles. De la même façon, l'espace a pu n'apparaître avec ses caractéristiques continues qu'après que l'Univers a dépassé une certaine taille.

Le temps et l'espace étant liés l'un à l'autre, pareilles conceptions pourraient-elles s'appliquer au temps ? Pourrait-il avoir été lui aussi discontinu à très petites échelles ? Les durées élémentaires pourraient-elles ne prendre que certaines valeurs particulières ? En la matière, il faut se garder de conclure trop rapidement, à la seule lumière de notre bon sens. Après tout, il est bien possible que certaines équations soient plus intelligentes que nous, ou pas encore intelligibles, qu'elles percent des issues là où nos préjugés nous emmurent, qu'elles formulent des situations que nous sommes encore incapables de penser. Une équation est parfois beaucoup plus qu'une équation. Alors, en face de calculs qui viennent démentir l'expérience que nous avons du temps et dont les conséquences sont à première vue absurdes – le temps passe, puis ne passe plus, puis se remet de lui-même à passer... –, il convient de tempérer notre scepticisme spontané.

De la largeur d'esprit, il en faut aussi pour accepter certaines théories récentes qui mettent en scène non pas un, mais plusieurs temps... en même temps ! L'Univers danserait-il une valse à deux temps ? Voire à trois ?

DANSE DES SUPERCORDES
ET VALSE À PLUSIEURS TEMPS

C'était un homme fidèle.
L'ennui, c'est qu'il avait trop de femmes.

Hélène Weigel
(épouse de Bertolt Brecht)

Jusqu'ici, nous avons considéré que la physique, en cela fidèle à l'expérience courante, supposait que l'espace a trois dimensions et qu'il n'y a qu'un seul temps. Certes ce dernier est relatif, certes il est couplé à la matière, mais il est bel et bien unique. Pourtant, si l'on examine certaines théories très audacieuses en cours de développement dans le domaine de la physique des particules, on découvre que cette donne pourrait changer un jour, même si les réticences sont colossales. Vraiment, se pourrait-il qu'il y ait plusieurs temps… en même temps ?

Les physiciens des particules s'intéressent à des objets, les particules, qu'on ne voit pas tellement elles sont petites. Ils s'intéressent également à leurs interactions mutuelles. Quatre d'entre elles sont vraiment fondamentales : la gravitation, l'interaction électro-

163

magnétique et deux interactions nucléaires qui n'agis-
sent qu'à l'échelle microscopique. L'une, dite « faible »,
gère certains processus radioactifs ; l'autre, dite « forte »,
lie entre eux les constituants des noyaux atomiques.

Dans les années 1980 eut lieu une découverte prodi-
gieuse : il fut prouvé, d'abord théoriquement, puis
expérimentalement, que l'interaction électromagnétique et l'interaction nucléaire faible, bien que très dis-
semblables en apparence, n'étaient pas indépendantes
l'une de l'autre. Il fut même un temps, très ancien, où
elles ne faisaient qu'une, l'interaction « électro-
faible ». Ce résultat capital illustre l'aboutissement
d'une utilisation très astucieuse du concept de
symétrie : on a remarqué qu'on pouvait déduire la
structure d'une interaction entre particules de leurs
seules propriétés de symétrie [1]. C'est l'identification
préalable des symétries associées aux interactions électromagnétique et nucléaire faible qui a permis ensuite
de les unifier d'un point de vue théorique, en les met-

1. Certaines symétries peuvent s'exercer en tout point de
l'espace-temps sans que les lois physiques y soient sensibles. Prenons l'exemple de l'interaction électromagnétique. Pour la
décrire, on utilise la notion de potentiel, qui est une fonction
définie en tout point de l'espace par un nombre. De la donnée de
ce potentiel on déduit la valeur du champ électromagnétique en
tout point. Mais, de la même façon qu'une famille infinie de
droites parallèles possède la même pente, il existe une infinité de
potentiels qui donnent le même champ. Tous ces potentiels sont
identiques à une « origine près » : si l'on transforme un potentiel
en un autre de la même famille, les équations n'en sont pas affec-
tées. Conséquence : si l'on branchait le cosmos sur une borne
électrique de potentiel électromagnétique constant, tous les phénomènes physiques seraient inchangés, d'où le terme
d'« invariance de jauge » pour désigner cette propriété.

tant dans le même « moule ». Cette procédure féconde a pu être étendue à l'interaction nucléaire forte. Le résultat obtenu constitue le « modèle standard » actuel de la physique des particules, qui a été très finement testé notamment grâce au LEP (Large Electron Positron Ring), le grand collisionneur du CERN. Cette réussite permet d'affirmer que les forces ne sont pas des ingrédients qu'il faut introduire de façon arbitraire dans les théories, aux côtés des particules qui y sont soumises, mais résultent plutôt des propriétés de symétrie auxquelles obéissent ces particules.

Grâce au modèle standard, les physiciens sont parvenus à décrire le comportement des particules à des échelles de distance de l'ordre de 10^{-18} mètre [1]. Mais à beaucoup plus petite distance les équations ne fonctionnent plus : une nouvelle physique apparaît nécessaire, dont l'élaboration devra impérativement prendre en compte la gravitation, jusqu'à présent laissée à la marge. Cet « élargissement » de la physique ne pourra se faire qu'en modifiant notre représentation des objets fondamentaux, et aussi celles de l'espace et du temps.

Une piste, apparemment très prometteuse, est aujourd'hui à l'étude, celle de la théorie des supercordes (non, ce n'est pas une affaire d'alpinistes). Ses fondements ont été élaborés dans les années 1970, dans le but de bâtir un cadre général capable

1. Une excellente présentation du modèle standard de la physique des particules est faite dans le livre de Roland Omnès, *Alors l'un devint deux. La question du réalisme en physique et en philosophie des mathématiques*, Paris, Flammarion, 2002, p. 181-244.

d'englober la physique quantique, qui décrit les particules élémentaires, et la relativité générale, qui décrit la gravitation [1]. Ces deux théories semblent en effet conceptuellement incompatibles : les particules quantiques sont décrites dans un espace-temps plat, absolu et rigide, alors que l'espace-temps de la relativité générale est souple et dynamique. Dans la théorie des supercordes, qui les dépasse l'une et l'autre, les particules n'y sont plus représentées par des objets de dimension nulle, mais par des objets longilignes et sans épaisseur – des supercordes – qui vibrent dans des espaces-temps dont le nombre de dimensions est supérieur à quatre. Plus précisément, la théorie remplace toutes les particules ponctuelles que nous connaissons par un objet étendu, la supercorde. Cette supercorde peut être ouverte (c'est-à-dire se terminer par deux extrémités) ou refermée sur elle-même [2], et ses différents modes de vibration correspondent aux

1. Plusieurs théories des supercordes ont été développées depuis trente ans. Cette multiplicité des théories a posé de sérieux problèmes de cohérence : l'idée des supercordes avait justement été proposée pour construire un cadre théorique unique, qui englobe tous les autres... Mais en 1994 un certain ordre revint dans la maison. On démontra que chacune des versions proposées était un cas particulier d'une théorie plus générale, baptisée « théorie M », qui reste à élaborer. Cette unification des cinq théories des supercordes a pu se faire grâce à l'existence de symétries, appelées dualités, qui relient ces différentes théories les unes aux autres. Plus précisément, un certain type de dualité relie deux à deux des théories dont les « constantes de couplage » (paramètres qui mesurent les interactions entre supercordes) sont inverses l'une de l'autre.

2. Pour les cordes fermées, il existe toujours un mode de propagation qui correspond au graviton, lequel est la version quantique du champ gravitationnel einsteinien.

différentes particules possibles : un mode correspond à l'électron, un autre au neutrino, un troisième au quark… Les particules habituelles correspondent aux modes dont les fréquences sont les plus basses. D'autres particules plus lourdes correspondent aux modes dont les fréquences sont plus élevées. Elles restent à découvrir.

Pour comprendre comment l'idée (folle ?) d'augmenter le nombre de dimensions de l'espace-temps a pu germer, il faut revenir aux brillantes années 1920. Einstein se demandait alors si les effets électromagnétiques pouvaient être regardés comme une propriété géométrique de l'espace-temps. Une telle idée avait bien fonctionné pour la gravitation, qu'Einstein lui-même avait géométrisée par le biais de sa relativité générale. Or l'électromagnétisme et la gravitation ont quelque ressemblance, ne serait-ce que parce leur force varie à l'inverse du carré de la distance.

Dans le dessein de les unifier, Theodor Kaluza [1] et Oskar Klein [2] proposèrent, au début des années 1920, une théorie révolutionnaire dans laquelle l'électromagnétisme et la gravitation étaient mis en correspondance. Ils remarquèrent en effet que l'écriture des équations de la relativité générale dans un espace-temps à cinq dimensions (quatre d'espace, une de temps) permettait d'obtenir, après projections sur des espaces-temps plus restreints, d'une part les équations habituelles de la relativité générale, d'autre part une équation supplémentaire équivalente aux équations de

1. Th. Kaluza, *Sitzungsberichte*, Preussische Akademie der Wissenschaft, 966, 1921.
2. O. Klein, Z. Phys. 37 (1926), 895.

Maxwell. Une sorte de force unique dans un espace-temps à cinq dimensions apparaissait donc équivalente à deux interactions (gravitation d'une part, électromagnétisme d'autre part) dans un espace-temps à quatre dimensions. D'où l'idée que l'unification des interactions pourrait nécessiter un « enrichissement » de la topologie de l'espace-temps ; à charge ensuite pour ses promoteurs d'expliquer pourquoi nous ne décelons pas les dimensions spatiales supplémentaires. Kaluza et Klein suggéraient quant à eux que la cinquième dimension de leur théorie était enroulée sur elle-même à une échelle infime et qu'elle était donc imperceptible, de la même manière qu'un tissu, objet à trois dimensions, nous apparaît comme un objet à seulement deux dimensions du fait de l'extrême minceur relative des fils qui le constituent. En apparence, l'espace-temps pourrait donc perdre des dimensions pourtant tout à fait réelles à une échelle ultramicroscopique [1].

La théorie des supercordes, qui vise une description cohérente de la gravitation dans le cadre de la physique des particules, reprend l'hypothèse de Kaluza et Klein mais en mettant en scène un espace-temps à dix dimensions, cette fois, dont certaines seraient « compactifiées », c'est-à-dire repliées sur

1. Pour être tout à fait juste, il convient de rappeler que l'existence d'une cinquième dimension avait déjà été envisagée par le physicien Georges Gamow. Dans son premier article, publié en 1926, il proposait d'interpréter la fonction d'onde de l'équation de Schrödinger comme étant l'équivalent d'une cinquième dimension, qu'il faudrait ajouter aux quatre dimensions habituelles d'espace et de temps. Cette suggestion, comme l'on sait, ne convainquit guère.

elles-mêmes, de sorte qu'elles seraient imperceptibles à notre échelle [1]. Ces dimensions supplémentaires permettent d'éliminer les quantités infinies que les calculs font apparaître lorsqu'on s'intéresse aux interactions ayant cours aux très petites échelles spatiales. En fait, le cadre conceptuel au sein duquel sont décrites les supercordes n'est pas imposé de façon unique. Plusieurs possibilités coexistent, mais, point capital, toutes rendent nécessaire l'existence même de la force de gravitation telle qu'elle est décrite par la relativité générale d'Einstein ! Autrement dit, dans la théorie des supercordes, la gravitation, au lieu d'être simplement constatée, acquiert le statut d'une prédiction tirée des principes mêmes de la théorie, et c'est bien sûr cela qui fait toute sa beauté formelle, sa « magie », comme disent même certains physiciens.

Mais n'oublions pas que des expériences sont indispensables pour valider cette belle construction. Comment mettre en évidence des phénomènes physiques nouveaux liés à l'existence de dimensions supplémentaires de l'espace-temps ? Lorsqu'ils ont construit la théorie des supercordes, les physiciens imaginaient

1. En fait, une autre possibilité existe, qui consiste à dire que les dimensions supplémentaires sont infinies, mais qu'on ne peut pas les traverser. Les branes (mot dérivé de « membrane » qui permet de parler de n-branes pour des sous-espaces à n dimensions) sont des sous-variétés de l'espace fondamental sur lesquelles s'attachent les cordes ouvertes. Dans ce cadre, notre univers serait un drapeau à trois dimensions flottant dans cet espace fondamental plus grand où vivent les cordes fermées (comme le graviton), drapeau sur lequel les cordes ouvertes, c'est-à-dire les particules du modèle standard, seraient condamnées à vivre.

que la taille des dimensions supplémentaires ne pouvait être que la plus petite longueur qu'on sache décrire en physique et qui est la longueur de Planck, voisine de 10^{-35} mètre [1]. Dans ces conditions, toute manifestation d'un phénomène physique qui se déroulerait dans l'une de ces dimensions semblait largement hors de portée des moyens d'observation actuels, y compris des accélérateurs de particules les plus puissants. Le LHC (Large Hadron Collider) qui entrera en service au CERN à Genève en 2007 sondera des distances de l'ordre de 10^{-19} mètre « seulement » en provoquant des collisions de deux faisceaux de protons de 7 TeV chacun [2]. De telles distances, dix millions de milliards de fois plus grandes que la longueur de Planck, sont encore beaucoup trop importantes pour qu'on puisse voir se manifester auprès du LHC le moindre effet lié à l'existence des supercordes. C'est du moins ce qu'on a longtemps pensé.

En 1996, coup de tonnerre : Edward Witten montre que la taille de la supercorde est en réalité un paramètre libre de la théorie et qu'il n'y a donc aucune raison *a priori* de la fixer égale à la longueur de Planck [3]. Depuis lors, de nombreux théoriciens se passionnent pour l'idée que les dimensions supplémen-

1. En deçà de la longueur de Planck, les fluctuations quantiques de l'espace-temps deviennent si importantes que les notions de distance, de masse ou d'énergie ne peuvent plus conserver leur sens habituel.

2. Un téraélectronvolt (TeV) vaut 10^{12} électronvolts, soit 1,6 10^{-7} joule.

3. Voir l'article de Ignatios Antoniadis, « Et si l'on prouvait la théorie des supercordes ? », *La Recherche*, hors série n° 8, juillet/août/septembre 2002.

taires de la théorie des supercordes pourraient être de l'ordre de 10^{-18} mètre. S'ils ont raison, certains des effets liés aux supercordes pourraient être détectés grâce au LHC [1]. Patience et « longueur de temps », c'est le cas de le dire.

Les dimensions supplémentaires étant toutes supposées spatiales, on se dit que tout cela ne devrait pas avoir d'impact sur la question du temps. Voire… Car on pourrait imaginer que, parmi les dimensions supplémentaires, l'une au moins soit temporelle et non spatiale, ce qui signifierait que le temps a plusieurs dimensions, dont seulement une, celle qui correspond au temps physique habituel, ne serait pas enroulée sur elle-même. Cette voie est, il est vrai, peu suivie, car elle nécessiterait un bouleversement, une refonte de notre manière de penser. En effet, comment pourrions-nous comprendre l'existence de plusieurs temps ? Cette question devient encore plus déroutante si l'on envisage des dimensions temporelles enroulées. Formant des boucles, leur structure même violerait la causalité, obligeant les particules à remonter périodiquement dans leur passé. Elles seraient donc, pour le coup, d'authentiques machines à remonter le temps, sinon pour nous, du moins pour certains objets

1. On a pu démontrer que s'il existe au moins une dimension supplémentaire parcourue par la lumière à l'échelle de 10^{-18} mètre, on devrait observer au LHC des particules baptisées états de Kaluza-Klein, semblables aux photons mais dotées d'une masse d'autant plus élevée que la taille des dimensions supplémentaires serait plus petite. On détectera en fait des paires électron-positron ou muon-antimuon résultant de la désintégration de ces particules.

ultramicroscopiques [1]. Les accepter reviendrait à renoncer à la causalité telle que nous la comprenons aujourd'hui.

Mais là aussi gardons-nous de conclure et surtout de ricaner, car en la matière les recherches évoluent très vite. Aujourd'hui, les théoriciens voudraient ne plus entraver la théorie en la forçant à opérer dans un espace-temps donné *a priori*. Ils essaient plutôt de lui permettre de créer sa propre arène spatio-temporelle à partir d'une configuration dénuée de temps et d'espace, comme celles que suggèrent les géométries non commutatives que nous venons d'évoquer. Ainsi parviendront-ils peut-être à montrer que l'espace des petits oiseaux et le temps de la pendule sont seulement des notions commodes qui émergent d'une structure ne les contenant pas à toute petite échelle, sorte de « soupe » de supercordes en mouvement. L'un et l'autre seraient en somme des produits de la théorie, et non des entités présupposées par elle.

Si les équations continuent à être aussi audacieuses, le temps pourrait donc bientôt cesser d'être ce qu'il est. Du moins dans les calculs compliqués des physiciens. Nul ne sait si cela finira par affecter notre vie quotidienne. Pour ne rater aucun rendez-vous, devrons-nous bientôt porter une montre à chaque poignet ?

1. Voir à ce propos le livre de J.-R. Gott, *Time Travel in Einstein's Universe : The Physical Property of Travel Through Time*, Weidenfeld, Nicolson Éditors, 2001.

THÉORIES CHERCHENT ORIGINE
DU TEMPS, DÉSESPÉRÉMENT

Je vous en ficherai, moi, des brumes nor-diques.

Marcel Aymé

*Apprenez que la geste célèbre de Rrose Sélavy
est inscrite dans l'algèbre céleste.*

Robert Desnos

Les scientifiques rencontrent des difficultés fécondes
avec la notion générale d'origine, qu'elle concerne la
matière, la vie, la conscience, l'homme, la pensée [1].
Car la science a besoin, pour se construire, d'un réel,
d'un « déjà là ». Or l'origine ne fait précisément pas
partie du « déjà là ». Elle correspond à l'émergence

---

1. Il y a un mot à ne plus mettre dans cette liste, celui de
masse. En effet, le modèle standard de la physique des particules
propose un scénario qui explique comment les particules, origi-
nellement sans masse, en ont acquis une à l'issue d'un « mécanisme de brisure spontanée de symétrie » aussi appelé « mécanisme
de Higgs ». Cette hypothèse sera prochainement testée auprès
du LHC au CERN.

d'une chose en l'absence de cette chose. C'est donc un point de rencontre entre l'être et le néant, un contact entre le tout et le rien : rien n'est encore, et quelque chose advient. L'origine, un néant dont quelque chose doit sortir, comme si l'être était déjà contenu en lui. Elle constitue donc une singularité ontologique par le fait qu'elle suppose la non-présence dans la mise en présence même, en même temps que la potentialité de la présence au sein de l'absence. Or cette singularité-là, la science n'est pas capable de la saisir et a même beaucoup de difficulté à lui donner un statut permettant de la traiter. Dès qu'elle en parle, elle invoque implicitement une sorte de « cuisse de Jupiter » constituée des ingrédients préalables qu'il faut ajouter à l'histoire pour comprendre l'origine dont il est question. Tout commencement lui apparaît comme une conséquence : il achève quelque chose.

En la matière, le temps ferait-il exception ?

La plupart des physiciens s'accordent aujourd'hui sur des modèles d'univers particuliers, dits de big bang, au sein desquels règne un temps « cosmologique » lié à l'expansion de l'Univers et auquel la relativité générale donne un statut. Ce temps cosmologique partage avec le temps newtonien la propriété d'être universel : des observateurs qui ne sont soumis à aucune accélération et ne subissent aucun effet gravitationnel mutuel peuvent en effet synchroniser leurs montres, et celles-ci resteront en phase tout au long de l'évolution cosmique. Grâce à ce temps, on peut raconter les grandes étapes de l'histoire de l'Univers qui, disent les astrophysiciens, se déploie sur quinze milliards d'années : la matière élimine l'antimatière, son double antagoniste ; puis la lumière se sépare de la matière, rendant l'Univers transparent à sa propre lumière et la matière libre de se structurer ; naissent alors les galaxies, les étoiles et toutes les formes qui peuplent le ciel nocturne. Se déclinent ainsi des généalogies, des liens génétiques : les étoiles sont les mères des atomes, elles ont pour ancêtres des nuages de poussières, dont la matière provient de l'Univers primordial.

L'Univers, c'est maintenant certain, a eu une histoire. Donc un début ? Dès que nous évoquons l'idée d'un commencement, la question de l'origine surgit (il faut bien que genèse se passe). Aussitôt, elle nous dépasse. Nous sommes incapables de savoir si l'Univers matériel a eu un prélude temporel : est-il apparu dans un temps lui préexistant ou bien son émergence a-t-elle été contemporaine de celle du temps ? Mais si nous supposons qu'un temps a préexisté à l'Univers, qu'est-ce qui nous empêche de prétendre que ce temps était déjà, à lui tout seul, un univers ? C'est ce qu'avait bien vu Kant dans ses *Prolégomènes* : « Admettons que le monde ait un commencement : comme ce commencement est une existence précédée d'un temps où la chose n'est pas, il doit y avoir eu un temps où le monde n'était pas, c'est-à-dire un temps vide. Or dans un temps vide, il n'y a pas de naissance possible de quelque chose [1]. » Parler du commencement du temps conduit donc à une aporie : cela revient à situer le temps… dans le temps. Seuls les mythes semblent capables de dépasser cette contradiction.

De façon plus générale, les questions concernant l'origine se transforment vite en une histoire de poule et

1. Emmanuel Kant, *Prolégomènes à toute métaphysique future qui voudra se présenter comme science*, Paris, Vrin, 1968, p. 132.

d'œuf qui oublierait de faire référence au coq. Presque toujours ces questions entraînent dans leur sillage une cohorte de grands mots, en lutte pour la préséance et qui se tiennent par la barbichette : création, émergence, finalité, hasard, nécessité, et même Dieu dans les situations extrêmes.

Quelle est la véritable origine du temps cosmologique ? Comment s'est-il mis en marche ? Les réponses à ces questions semblent hors de portée. Pourtant, régulièrement, des astrophysiciens viennent promettre qu'ils sauront bientôt les trouver, les réponses : nous sommes sur le point, expliquent-ils, de porter l'Univers à bout d'équations, le dévoilement du scénario est en passe d'être complet. Cette phraséologie n'est pas neuve. La puissance de la physique a toujours suscité des enthousiasmes allant bien au-delà de ce qu'offrent les théories. La physique contemporaine n'échappe pas à la règle. Parfois aveuglée par ses succès, elle se trouve exposée aux risques qui accompagnent souvent les victoires. Prompte à annoncer son prochain aboutissement, elle s'inspire d'une pensée « satisfaite » : celle, toujours bénéfique, qui l'invite à d'audacieuses hypothèses ; ou bien celle, plus toxique, qui la conforte dans l'arrogante certitude de toucher au but.

Alors qu'en est-il au juste de notre connaissance de l'« origine du temps », si tant est que l'expression ait un sens ? Tout comme celle de l'Univers, elle se perd dans les brumes aurorales de l'Univers primordial. Ni la relativité générale, ni la physique quantique, ni une éventuelle synthèse des deux ne permettent aujourd'hui de décrire l'apparition de l'Univers comme un événement physique. Le langage est lui aussi impuissant à dire quoi que ce soit à ce sujet : on ne peut pas raconter avec des mots quelque chose qui ressemblerait à « l'histoire de la naissance du temps » puisque l'Univers, c'est – entre autres choses – le temps, et que nul ne voit comment l'on pourrait parler d'une création du temps hors du temps.

Mais là encore je vous entends : les équations de la cosmologie traditionnelle ne permettent-elles pas de remonter du présent jusqu'à un « intant zéro » ? Soit, cet « instant zéro », on peut l'appeler « origine » si l'on y tient vraiment, mais sans perdre de vue qu'il correspond justement à une situation où les équations cessent d'être valables. Autrement dit, ce premier instant n'en est pas tout à fait un, au sens où il ne correspond à aucun moment effectif du passé de l'Univers.

La physique actuelle est certes capable de décrire l'Univers « à rebrousse-temps ». Mais, quand on extrapole ses lois dans le passé, on finit par tomber sur un état de l'Univers dans lequel elles entrent en conflit les unes avec les autres, du fait de l'incompatibilité des principes de la physique quantique avec ceux de la relativité générale. Si ces deux théories se bousculent, c'est justement à cause de problèmes concernant l'espace et le temps. Chaque fois qu'elles s'essaient à de vagues épousailles, des singularités (c'est-à-dire des divergences à l'infini) germent spontanément : l'espace-temps que cela produit devient une mer non navigable [1]. Cette situation autorise

1. Un argument simple fournit les échelles de temps et de distance en deçà desquelles devrait impérativement intervenir une refonte conceptuelle permettant de penser ensemble la physique quantique et la relativité générale. Cet argument prend acte du fait qu'existent en physique des constantes fondamentales : la constante de la gravitation G, la vitesse de la lumière c et la constante de Planck h. Chacune de ces trois constantes s'exprimant selon une

toutes les conjectures sans dire comment déterminer laquelle semble la plus conforme à ce que fut le passé le plus lointain de l'Univers [1]. Nous ne savons donc rien – aujourd'hui – de l'origine de l'Univers, rien non plus de l'origine du temps, que le terme origine soit pris ici au sens chronologique ou au sens explicatif.

Il est tout aussi périlleux de se demander ce qu'il pouvait bien y avoir avant le big bang [2]. Certes, il existe des théories, celle des supercordes, notamment, que nous venons d'évoquer, qui permettent d'envisager un « pré-temps » différent du temps physique habituel, mais cette notion, loin de répondre à la question posée, ne fait que la déplacer : qu'y avait-il donc avant ce fameux « pré-temps » ? Et encore avant ? Si de futures lois physiques – une éventuelle « théorie du tout » – nous permettaient un jour de décrire l'origine du temps, nous nous demanderions aussitôt : qu'est-ce qui est à l'origine de ces lois ? Et à

---

unité bien définie, il est possible de les combiner de façon à obtenir une grandeur s'exprimant selon une unité de temps. La durée ainsi obtenue, dite de Planck, est égale à $(Gh/c^5)^{1/2}$. Elle vaut à peu près 10^{-43} seconde. En deçà de cette échelle, nos représentations habituelles de l'espace et du temps perdent toute signification et les alternatives proposées à ce jour demeurent hautement spéculatives.

1. Pour en savoir plus sur ces questions, voir *La Nature de l'espace et du temps*, Stephen Hawking, Roger Penrose, Paris, Gallimard, coll. « NRF essais », 1997.

2. Cette question rappelle celle que les néoplatoniciens posaient avec ironie à saint Augustin, qui défendait l'idée d'un commencement temporel de l'Univers : « Que faisait Dieu avant la création de l'Univers ? » Saint Augustin répliquait qu'il n'y avait pas de temps avant la création de l'Univers, puisque le

l'origine de l'origine de ces lois ? Tout commencement, loin d'être un fondement, demande toujours à être lui-même fondé, en une sorte de régression du conditionné à sa condition. Toute progression dans ce marécage ontologique oblige à invoquer, à chaque pas, une nouvelle cuisse de Jupiter : le vide quantique, l'explosion d'un trou noir primordial, une collision entre deux supercordes multidimensionnelles… Le dieu du ciel et des éléments serait-il un mille-pattes ?

Se demander ce qu'il y avait avant le temps équivaut en fait à se demander ce qu'il y a au nord du pôle Nord. Dans les deux cas, on ne peut que répondre « rien ». Il n'existe pas, par définition, de période avant le temps, de sorte que la question de savoir ce qui a pu s'y passer est vide de sens, de même que s'il n'y a rien au nord du pôle Nord c'est parce que la région à laquelle on fait ainsi allusion n'existe pas ou que les mots dont nous disposons – exister notamment – ne peuvent en rendre compte.

La question de l'origine du temps ou de l'Univers nous mettrait-elle sur une fausse piste ? Habitués à penser en termes de causes et d'effets, nous sommes conduits à chercher une chaîne de causalité qui remonte le temps, chaîne qui soit n'a pas de commencement, soit aboutit à une cause première ou à un moteur primordial (Dieu par exemple). Or la cosmologie contemporaine nous invite à envisager un Univers sans cause préalable au sens habituel où nous l'entendons, non pas parce que cette cause serait anor-

---

temps n'est qu'une propriété de l'Univers, dont Dieu, dans son éternité, est totalement privé. En somme, il ne peut y avoir de temps vide, de temps sans monde dans lequel se déployer.

male ou surnaturelle, mais tout simplement parce qu'elle n'entrevoit aucune époque antérieure dans laquelle elle pourrait opérer. Nos esprits épris de belle logique ont du mal à accepter que le sens de la question qu'ils posent puisse ainsi s'évanouir en un vertigineux méli-mélo.

Si le temps physique, sur lequel nous nous sommes jusqu'à présent penchés, est consubstantiel à l'univers, il semble qu'avec l'homme soit apparu un autre temps, proprement humain, un « temps de la conscience » qui traduit les façons dont l'homme vit et *se* vit. Cet autre temps dérive-t-il du temps physique ou possède-t-il une existence autonome ? Avant de trancher cette question, attardons-nous un peu sur les manières dont nous percevons et éprouvons le temps.

ESPRIT CHRONOCLASTE,
DONC MONTRE UTILE

> *C'est un coup du sort étrange : tous les hommes dont on a ouvert le crâne avaient un cerveau !*
>
> Ludwig Wittgenstein

> *Est-ce que j'ai bien fait sortir la pendule et remonté le chat ?*
>
> Groucho Marx

En réponse à une question de Bergson, Einstein expliqua un beau jour de 1922 : « Il n'y a pas un temps des philosophes ; il y a un temps psychologique différent du temps des physiciens [1]. » Il semble en effet qu'existe un temps de la conscience radicalement différent de celui qu'indiquent les horloges. Ce temps « psychologique » ou « subjectif » serait, selon une vulgate désormais bien installée, une sorte de second temps évoluant en marge du temps physique. Pour en saisir la substance,

---

1. Compte rendu de la séance du 6 avril 1922 de la Société française de philosophie (*La Pensée*, n° 210, février-mars 1980, p. 22).

ce n'est plus l'expérience de l'ennui qui conviendrait, mais celle recommandée par Paul Valéry : « Attendez la faim. Tenez-vous de manger et vous verrez le temps [1]. » Nul besoin de jeûner quarante jours pour admettre qu'il y a là une certaine vérité.

L'affaire semble donc entendue : un temps psychologique existe bel et bien, qui ne se confond pas avec le temps physique. La distinction la plus évidente entre ces deux temps concerne leur fluidité. Le temps physique s'écoule de façon uniforme tandis que le rythme du temps psychologique varie : selon les circonstances, il peut donner l'impression de stagner ou au contraire de s'accélérer. Si nous portons une montre au poignet, c'est bien parce que notre appréciation des durées n'est pas fiable : nous devons régulièrement remettre nos pendules à l'heure.

Maints facteurs se conjuguent pour venir modifier sans cesse la texture de notre temps psychologique : l'âge, bien sûr, mais aussi notre état d'impatience [2], ou encore l'intensité et la signification qu'ont *pour nous* les événements en train de se produire. Pour tenter de mieux les comprendre, des expériences radicales ont été menées (plusieurs décennies avant *Loft Story*, mais

1. Paul Valéry, *Œuvres*, Paris, Gallimard, coll. « Bibliothèque de la Pléiade », t. II, 1984, p. 713.
2. Marcel Proust, sur ce point, a tout dit : « Les jours qui précédèrent mon dîner avec Mme de Stermania me furent, non pas délicieux, mais insupportables. C'est qu'en général, plus le temps qui nous sépare de ce que nous nous proposons est court, plus il nous semble long, parce que nous lui appliquons des mesures plus brèves ou simplement parce que nous songeons à le mesurer. » (Marcel Proust, *Le Côté de Guermantes*, Paris, Gallimard, coll. « Bibliothèque de la Pléiade », vol. 2, 1954, p. 172.)

sans caméra) : celles des « spéléonautes », ces hommes et femmes qui ont choisi de vivre plusieurs mois sans montre ni horloge dans des grottes ou dans des bunkers, livrés momentanément à leurs seuls rythmes biologiques. On constata très rapidement que leur appréciation des durées dans ces conditions se décalait notablement de ce qu'indiquaient les horloges.

Le même phénomène s'observe tout aussi bien quand l'enfermement n'est pas volontaire. Dans son ouvrage *Psychologie du temps*, Paul Fraisse rappelle ce qui se passa en 1906, lors de la grande catastrophe minière de Courrières : à la suite d'éboulements, des mineurs se trouvèrent enfermés dans une galerie dont ils ne purent sortir qu'après trois semaines d'efforts. Une fois délivrés, ils déclarèrent spontanément qu'il leur avait semblé n'avoir passé que quatre ou cinq jours au fond de la mine. Les durées, même lorsqu'elles sont vécues dans l'angoisse, peuvent donc être estimées cinq fois plus courtes que ce qu'elles sont réellement.

Cette impossibilité qui est la nôtre à quantifier précisément les durées lorsque tous les repères extérieurs ont disparu suggère que le temps psychologique a non seulement une élasticité, mais aussi une étoffe bien différentes du temps physique. Ce dernier, s'écoulant toujours identique à lui-même, a la forme d'un filament. Le temps subjectif, lui, semble se déployer en ligne brisée, jouer de l'accordéon, entremêler des rythmes différents, subir des discontinuités. On ne peut donc l'assimiler à une quatrième dimension uniforme qui viendrait simplement s'ajouter à l'espace. Sa structure ressemble plutôt à celle d'une corde tressée de manière très irrégulière, à mille lieues de l'image traditionnelle du temps physique.

Temps physique et temps psychologique se distingueraient également par leurs façons respectives de « présenter le présent ». Le présent du temps physique a une durée nulle. Il se concentre en un point, l'instant présent précisément, qui sépare deux infinis l'un de l'autre : l'infini du passé et l'infini du futur. Le temps psychologique, lui, mélange au sein même du présent un peu du passé récent et un peu de l'avenir proche. Il déploie donc une certaine durée en unifiant ce que le temps physique ne cesse de séparer, en retenant provisoirement ce qu'il emporte, en englobant ce qu'il exclut. Dans le temps physique, deux instants successifs n'existent jamais ensemble, mais lorsque nous écoutons un air de musique nous percevons bien que la note précédente est comme retenue avec la note présente, qui elle-même se projette dans la note suivante. Dans notre conscience, le présent s'habille donc d'une rémanence de l'instant précédent et d'une anticipation de l'instant suivant. Ainsi s'organiserait, au sein du cerveau, une sorte de continuité alliant le passé immédiat au présent et au futur imminent (alliance sans laquelle nous ne pourrions parler en musique de « mélodie »).

Est-ce à dire que l'élasticité de notre estimation des durées pourrait s'expliquer à partir de mécanismes purement cérébraux ? L'affaire est plus que compliquée : des spécialistes des neurosciences ont pu montrer que cette opération sollicite plusieurs régions cérébrales telles que le cervelet et le cortex frontal, mais sans parvenir à expliciter les mécanismes qui la sous-tendent [1]. Il semble tout bonnement que l'information correspondant au temps qui passe ne soit pas répertoriée ou codée en tant que telle. Il n'y aurait donc pas un « sens du temps » comparable aux autres sens, telle la vision, même si quelques lois relatives à notre perception des durées ont pu être établies [2]. Plus précisément, notre chronomètre interne, s'il existe vraiment, ne serait pas sollicité en permanence par la conscience. En effet, les mécanismes utilisés par notre cerveau pour apprécier les durées ne semblent véritablement s'activer que lorsque nous sommes mis dans une situation d'attente spécifique, par exemple lorsque nous sommes prévenus que nous aurons à estimer la durée d'un son ou d'un signal lumineux.

Pour apprécier à peu près correctement une durée, nous devons donc d'abord nous *concentrer* sur cette opération, c'est-à-dire chasser de notre conscience

1. Voir l'article de Viviane Pouthas, « Où sont les zones du temps dans le cerveau ? » dans *La Recherche*, hors série n° 5, avril 2001, p. 80-83.

2. On sait par exemple que les durées courtes ont tendance à être surestimées, les durées longues sous-estimées, et qu'une stimulation intense paraît toujours plus longue qu'une stimulation moins intense de même durée. Notre estimation des durées subit en outre une déformation qui dépend de la nature et de la modulation des signaux que nous recevons. Par exemple, un intervalle de temps qui sépare deux sons brefs est toujours estimé plus court qu'un intervalle de durée identique mais « meublé » par un son continu. Les sons nous semblent en général durer plus longtemps que des signaux lumineux de même durée. Pour notre cerveau, les bruits « traînent » donc davantage en longueur que les lueurs ou les flashes, comme s'ils s'enveloppaient d'une rémanence temporelle accrue, dont la cause reste mal comprise.

tout ce qui pourrait la distraire ou la perturber. Mais cela ne suffit pas pour atteindre à une bonne précision : même concentrés, nous sommes seulement capables de percevoir les changements et les événements qui se déroulent dans le temps non la durée « pure ». En effet, lorsque nous voulons saisir une durée pour ce qu'elle est, « c'est toujours le même échec », comme l'expliquait Bachelard : « la durée ne se borne pas à durer, elle vit ! Si petit que soit le fragment considéré, un examen microscopique suffit pour y lire une multiplicité d'événements ; toujours des broderies, jamais l'étoffe ; toujours des ombres et des reflets sur le miroir mobile de la rivière, jamais le flot limpide [1] ». Toute durée nous apparaît imbibée des événements qu'elle contient. Comme si, entre le cours du temps et nous, il y avait toujours des problèmes sur la « ligne » : grésillements, parasites et autres bruits de friture.

Ce sont d'ailleurs ces problèmes de ligne qui donnent au temps psychologique des modulations si variées et si complexes que personne n'a jamais réussi à montrer comment on pourrait les « dériver » de la façon dont notre cerveau appréhende le temps physique. Cela nous condamne-t-il à admettre que les temps physique et psychologique constituent deux réalités distinctes ? Peut-être. Mais conclure de la sorte, n'est-ce pas, une fois de plus, aller bien vite en besogne ? Le fait que notre façon de percevoir les durées soit imprégnée de psychologie, parfois jusqu'à la saturation, n'implique nullement l'existence d'un temps psychologique autonome qui s'écoulerait élasti-

1. Gaston Bachelard, *op. cit.*, p. 33.

quement en marge du temps physique. On peut tout aussi bien défendre l'idée qu'il n'y a en vérité qu'un seul temps, *the physical one*, mais que nous nous sentons obligés d'en invoquer un second, *the psychological one*, impuissants que nous sommes à dérouler l'étrange ruban de Möbius qui relie, à la couture de la matière et de l'esprit, le premier à la perception subjective que nous en avons [1]. L'infinie variété de nos humeurs, de nos états d'âme déguiserait le temps physique jusqu'à le dénaturer en une deuxième sorte de temps.

Pour abréger, l'existence d'une psychologie du temps ne suffit pas à prouver celle d'un temps psychologique. Il nous paraît donc plus prudent de suggérer que ce que nous appelons le temps psychologique n'est que la manifestation de notre rapport subjectif au temps physique.

Il n'est en tout cas plus possible d'avoir du temps une conception trop idéaliste, comme celle de Kant,

---

1. Plus d'un penseur a tenté, en vain, de trouver le point d'unité duquel pourraient surgir en se différenciant la *physis* et la *psyché*. Ce fut le cas notamment de Wolfgang Pauli, l'un des pères fondateurs de la physique quantique, qui échangea une longue correspondance avec le psychiatre et psychanalyste Carl Gustav Jung. De la lecture de leurs lettres il ressort que l'un et l'autre partageaient la conviction qu'il était tout aussi impossible pour le psychologue de négliger les principes méthodiques de la physique que pour le physicien de ne pas tenir compte de ses expériences psychiques. Ils tombaient ainsi d'accord pour considérer que la seule approche acceptable était celle qui reconnaît comme conciliables les deux pans du réel, le physique et le psychique. Il ne reste plus qu'à montrer comment ces deux pans se concilient... (voir Wolfgang Pauli, Carl Gustav Jung, *Correspondance 1932-1958*, Paris, Albin Michel, coll. « Sciences d'aujourd'hui », 2000).

qui subordonnait le temps au sujet. Le temps, simple « condition subjective de notre intuition » dans lequel s'ordonnent les sensations ? Cette définition ne rend guère compte du sentiment, primordial en chacun, que nous avons d'être soumis au temps comme à une puissance *externe* qui nous entraîne. Il y a donc quelque chose sinon d'énigmatique, du moins de curieux, dans la conception kantienne du temps. Car, comme l'a souligné Pierre Boutang, « l'ambiguïté du temps chez Kant, entre son *a priori* originel qui l'emprisonne en un mode singulier de la sensibilité humaine et sa coextension à l'ensemble des phéno- mènes du monde, n'a été expliquée – à plus forte raison levée – par aucune des philosophies et des cos- mogonies des deux siècles suivants [1] ». Je suis le temps, dit en résumé Kant, et je suis aussi *dans* le temps. Mais comment penser le temps à la fois comme un mode de la sensibilité humaine et comme une donnée du monde ?

---

1. P. Boutang, *Le Temps. Essai sur l'origine*, Paris, Hatier, 1993, p. 67.

INFINIS DÉPLOIEMENTS
DE L'INSTANT PRÉSENT

Si nous habitons un éclair, il est le cœur de l'éternel.

René Char

N'était le point, le point immobile,
il n'y aurait pas de danse,
et il y a seulement la danse.

T. S. Eliot

Aux yeux d'un physicien, notre conscience ne cesse de réaliser l'impossible puisqu'elle fait coexister autour de l'instant présent des bribes de passé et de futur que le temps physique ne présente pourtant jamais ensemble. Le passage du temps tel que nous le percevons ne peut être pensé qu'en invoquant cet étrange entremêlement, au sein même de la conscience, d'éléments séquentiellement séparés mais apparemment solidaires. Maurice Merleau-Ponty disait que « la conscience déploie ou constitue le temps [1] ». Ce qu'avait

1. M. Merleau-Ponty, *Phénoménologie de la perception*, Paris, Gallimard, 1995, p. 474.

189

déjà énoncé saint Augustin, pour qui existent un « présent de l'avenir », qu'il appelait l'attente, un « présent du passé », qu'il appelait la mémoire, et un « présent du présent », qu'il appelait l'attention. Cette formulation réussissait la prouesse de faire communiquer, d'une façon non contradictoire, les trois « ekstases » du temps (selon l'expression des heideggeriens). Elle parvenait également à traduire l'expérience humaine du temps d'une façon si remarquable que, depuis un siècle, les différentes écoles phénoménologiques l'ont toutes reprise et disséquée.

C'est sans doute à cause de cette connexion continue qui s'établit dans la conscience entre passé, présent et avenir que nous avons tant de mal à éprouver directement le temps physique, fait d'instants ponctuels, sans épaisseur. Elle explique également pourquoi nous ne ressentons pas la fulgurance de l'instant présent. Le présent, tel que nous l'éprouvons, n'a en effet jamais le tranchant du pur éclat. En général, il se donne à nous à travers une représentation qui en érode la vigueur essentielle : nous ne percevons jamais les instants comme des entités singulières, nous ne sentons pas ces atomes temporels « sans aucune extension de durée [1] » dont parlait saint Augustin. Tout se passe comme si, au sein même de la perception attentive au monde, notre conscience faisait jouer un certain coefficient d'inattention à la vie pour gommer une part de l'éclat du présent en le mélangeant à ce qui le précède et à ce qui le suit. Le présent se trouve ainsi distribué de part et d'autre de l'instant ponctuel qui constitue son

1. Saint Augustin, *Confessions,* XI, 15.

centre [1]. Il se décompose en deux parts, qui ont précisément pour caractéristique de ne pas être présentes. La première est faite de ce qui vient d'avoir été et qui passe. La seconde est tantôt un élan qui fait advenir le futur, tantôt une attente passive de ce qui va paraître, souvent un mélange des deux. Le présent s'alimente donc pour nous, en général, d'un assemblage bâtard de tension et de rétention qui lisse ce qu'il pourrait avoir d'explosif.

Mais il existe des situations qui font exception à cette règle, certaines pénibles, d'autres agréables. Commençons par les pénibles, qui concernent la souffrance, notamment physique. Quand elle est intense, celle-ci s'exprime comme une impossibilité de se détacher de l'instant présent. Elle met l'être à nu, le dépouille, le réduit. Il y a dans la souffrance l'absence insupportable de tout refuge par rapport au temps. On se retrouve « scotché » à soi-même, dans l'impossibilité de fuir, d'avancer ou de reculer, de faire une

1. D'une façon plus générale, on pourrait dire que le propre de la conscience est de ne jamais être tout à fait présente au présent, comme l'avait remarqué Blaise Pascal : « Nous ne nous tenons jamais au temps présent. Nous anticipons l'avenir comme trop lent à venir, comme pour hâter son cours ; ou nous rappelons le passé pour l'arrêter comme trop prompt… Que chacun examine ses pensées, il les trouvera tout occupées au passé et à l'avenir. Nous ne pensons presque point au présent ; et si nous y pensons, ce n'est que pour en prendre la lumière pour disposer de l'avenir. Le présent n'est jamais notre fin : le passé et le présent sont nos moyens ; le seul avenir est notre fin. Ainsi nous ne vivons jamais, mais nous espérons de vivre ; et, nous disposant toujours à être heureux, il est inévitable que nous ne le soyons jamais. » (Blaise Pascal, *Pensées*, éd. Brunschvicg, frag. 172 – éd. Lafuma, frag. 47).

pause. Toute l'acuité de la souffrance est d'ailleurs dans ce recul impossible : le présent s'impose sans aucune distanciation possible.

Il arrive aussi que le présent s'offre de manière extatique, sans se mélanger ni à ce qui le précède ni à ce qui le suit. Qui n'a jamais éprouvé ces moments magiques dont Kierkegaard prétendait qu'ils sont la pénétration de l'éternité dans le temps ? Souvent, lorsqu'on évoque l'éternité, c'est pour la rejeter dans une sorte d'après-temps, comme si le temps n'était jamais que le méchant péché de l'éternité. Mais on a parfois le sentiment qu'elle sommeille plutôt quelque part au fond du présent. Les événements qui nous marquent « à vie » ne sont-ils pas liés au furtif bien plutôt qu'au sempiternel, à l'éclat bien plutôt qu'à la constance ? Tout « instant d'éternité » entremêle mystérieusement le fugitif et le définitif, et s'écarte par là même de la banalité des instants physiques, tous semblables les uns aux autres.

Le présent mime donc pour nous des notions qui lui sont en apparence opposées et que nous ne retrouvons guère dans sa représentation physique. Au XIIIᵉ siècle, saint Thomas d'Aquin expliquait le lien, à première vue antinature, entre le présent et l'éternité en prenant appui sur une conception cyclique du temps : « L'éternité est toujours présente à quelque temps ou moment du temps que ce soit. On peut en voir un exemple dans le cercle : un point donné de la circonférence, bien qu'indivisible, ne coexiste pas cependant avec tous les autres points, car l'ordre de succession constitue la circonférence ; mais le centre, qui est en dehors de la circonférence, se trouve en rapport immédiat avec quelque point donné de la circonférence que ce soit. L'éternité ressemble au centre du cercle. Bien que simple et indivisible, elle comprend tout le cours du temps, et chaque partie de celui-ci lui est également présente [1]. » L'éternité serait donc le pivot autour duquel le temps tourne et chaque instant serait, contre toute apparence, gorgé d'infini. Cette explication a beau perdre toute pertinence dans le cadre d'un temps linéaire, elle suggère métaphoriquement que l'instant présent n'est parfois pas étranger au hors-temps.

Mais tous nos instants présents ne sont pas magiques. Leur densité existentielle, c'est-à-dire celle qu'ils ont à nos yeux, semble pouvoir aller de zéro à l'infini. Il y a le temps vaillant, qui s'élance vigoureusement et sans regret vers sa propre succession. Le temps soumis, qui traîne en longueur et se lamente. Le temps pauvre, qui ne révèle rien sinon son indigence. Le temps pétrifié de la mélancolie dans lequel la vie cherche à inverser le sens de sa marche (à faire « retour amont », disait René Char). Le temps compact de l'impatience, qui substitue au présent ce qu'il annonce ou promet. Mais aussi le temps jaillissant de la passion, qui roule en état

---

[1] Thomas d'Aquin, *Summa contra Gentiles*, Lib. I, cap. LXVI. Cette conception de saint Thomas d'Aquin sera reprise par un autre scolastique de l'époque, Pierre Auriol, qui écrit : « Certains se servent de l'image du centre du cercle dans son rapport à tous les points de la circonférence ; et ils affirment qu'il est semblable au *nunc* de l'éternité dans son rapport avec toutes les parties du temps. L'éternité, disent-ils, coexiste actuellement avec le temps tout entier. » (*Commentarii in Primum Librum Sententiarum Pars Prima*, Rome, 1596, p. 829.)

d'ivresse, qui se risque dans l'existence en une sorte d'élan infini.

Bref, s'il n'y a qu'un temps, pour nous, il n'est jamais le même : seuls les chatoiements que projette sur lui notre esprit donnent à ce caméléon vivace ses trompeuses couleurs.

L'INCONSCIENT
OU LE TEMPS PRIVÉ DE COURS

Pâle soleil d'oubli, lune de la mémoire
Que draînes-tu au fond de tes sourdes contrées ?

Supervielle

On le sait depuis Freud : la conscience n'est pas maîtresse dans sa propre maison. Il y a aussi l'inconscient, pour qui le temps, oublieux de toute causalité, semble réduit à une somme d'ossements éparpillés.

À propos de l'inconscient, le père de la psychanalyse a en effet énoncé une hypothèse fondamentale concernant le temps et la mémoire. Selon lui, les choses seraient simples : l'inconscient ignore le temps. Plus exactement, l'inconscient ne subit pas les effets du temps au sens où il ne décline pas, ne s'affaiblit pas. Rien n'entame jamais sa puissance de revendication. Il serait en somme comme le passé même : impossible à modifier. D'où Freud tire-t-il cette conclusion ? Du constat suivant : ce que l'on retrouve dans l'analyse, dans les symptômes, dans les formations de l'inconscient, n'est marqué d'aucun indice temporel, n'est pas daté : « Dans l'inconscient, écrit-il, rien ne finit, rien ne passe, rien n'est oublié [1]. » On peut retrouver en rêve une multitude de détails d'un événement passé qu'on serait bien en peine de se remémorer à l'état de veille. Autre argument : un même rêve analysé à plusieurs reprises à des années d'intervalle donnera toujours les mêmes associations, comme si aucun processus (mis à part la « cure ») ne semblait capable d'éroder dans l'inconscient les marques du passé, même les plus reculées, au point qu'on a pu prétendre que ce qui se rattache au passé le plus ancien est forcément ce qui est le plus déterminant pour la *psyché* [2]. L'inconscient semble donc établir avec le temps physique des relations qui ne sont pas les mêmes que celles de la conscience ordinaire. Il l'habille autrement, l'obligeant parfois même à retourner sa veste.

Dans les rêves, le flux du temps ne chemine pas toujours de l'avant vers l'après. Parfois, nous dit Freud, « le rêve nous montre le lapin poursuivant le chasseur ». Ainsi, au lieu de penser le temps sur le modèle d'un flux homogène et causal dans lequel chaque instant a la même valeur événementielle, le discours inconscient met en scène une temporalité démembrée : ses diverses parties, au lieu de se succéder linéairement, sont en tension les unes avec les autres ; la structure d'ensemble est modifiée par diverses accentuations ; les différentes époques se mêlent et se juxtaposent à la façon de couches de lave empiétant les unes sur les autres et faisant cohabiter les émanations d'éruptions successives.

1. Sigmund Freud, *L'Interprétation des rêves*, Paris, PUF, 1967, p. 526.
2. Voir à ce propos le livre de Sylvie Le Poulichet, *L'Œuvre du temps en psychanalyse*, Paris, Rivages, 1994.

L'inconcient se contente de garder, mais hors de toute relation temporelle linéaire, trace des dépôts du passé qui ne sont retenus qu'en fonction de leur intensité et qui peuvent toujours se contaminer les uns les autres, au point quelquefois de brouiller l'ordre de leur succession : c'est parfois seulement « après coup » qu'un événement passé devient en réalité événement. Un effet de décalage temporel s'interpose entre la date d'un fait passé et son assimilation par le sujet.

Freud parle à ce propos de *Nachträglichkeit*, qu'on peut traduire par « capacité d'advenir plus tard ». Ainsi, telle situation, dont la complexité à elle seule prouve qu'elle n'a pu être perçue par un enfant d'un an et demi, reçoit à quatre ans une expression verbale, mais n'est vraiment saisie que vingt ans plus tard. De même, un rêve, vécu comme un pur présent, peut renvoyer le sujet à des périodes différentes de son passé, s'échelonnant entre des événements relativement récents et d'autres remontant à la prime enfance, figurés en ordre dispersé. Ce n'est pas en classant ces événements de façon chronologique que le sens latent du rêve peut se révéler. Car il n'y a pas *une* histoire, mais *des* histoires qui s'imbriquent, se chevauchent et se contredisent parfois, chacune vivant à son rythme, selon sa propre temporalité. Tout se passe comme si l'inconscient ne reconnaissait ni le cours du temps ni la causalité qui lui est associée.

Lorsqu'on met ensemble tous ces éléments, le temps de l'inconscient apparaît effectivement comme un « temps éclaté », pour citer André Green [1]. Toute-

1. André Green, *Le Temps éclaté*, Paris, Éditions de Minuit, 2000.

fois, même s'il y a bien une invariance de l'inconscient, mieux vaudrait se garder de l'appeler « intemporalité » ou « atemporalité ». Le fait que le temps physique, avec son cours bien défini, ne soit pas une forme
reconnue par nos actes psychiques est une chose. Mais
si l'inconscient retient tout, perdure sans s'user, c'est
bien parce qu'il est lui-même porté par le cours du
temps qui précisément continue à le *faire être* identiquement à lui-même, qui l'ancre dans la durée. Le fait
qu'il échappe à la flèche du temps n'implique nullement qu'il est hors du temps. Il baigne simplement
dans un temps sans devenir. On peut donc se demander
si Freud ne va pas un peu loin lorsqu'il affirme que « les
processus du système inconscient sont atemporels,
c'est-à-dire qu'ils ne sont pas ordonnés temporellement,
ne se voient pas modifiés par le temps qui s'écoule,
n'ont absolument aucune relation au temps [1] ». Car s'il
s'agit bien de *processus*, relevant donc d'une certaine *pro-
cession*, comment ceux-ci pourraient-ils avoir lieu sans
avoir « aucune relation au temps » ?

Freud est plus convaincant lorsqu'il développe le
lien qui existe entre inconscient et « faculté d'oubli ».
Il remarque d'abord que certains comportements
répétitifs montrent que des circularités sont à l'œuvre
dans l'inconscient. Le sujet répète un acte au lieu de se
remémorer sa première occurrence, le reproduit au
lieu de se le représenter, comme si un court-circuit lui
avait fait perdre la mémoire de ce à quoi renvoie sa
répétition et immobilisait ses agissements dans une
circularité stérile. Freud dit d'un tel sujet qu'il répète à

1. Sigmund Freud, *Essai sur l'inconscient*, dans *Œuvres complètes*, XIII, Paris, PUF, 1988, p. 226.

la place de se souvenir, mais on pourrait aussi bien dire qu'il répète pour ne pas se souvenir. Plus il répète, moins il se souvient, et moins il se souvient, moins il sait pourquoi il répète et s'acharne à répéter pour ne pas risquer de prendre conscience du sens de ce qui, en lui, insiste et réitère. La seule mémoire qui lui reste est celle de la pulsion qui pulse, rythmiquement, sans fin.

Cette faculté d'oubli est toujours moins valorisée que la mémorisation, comme si elle n'exprimait jamais qu'un ratage de la conscience, qu'un échec de la mémoire. Pourtant, son rôle est tout aussi important que celui de la mémoire puisque c'est elle qui, à la longue, désencombre l'esprit, apaise les affects, protège des tourments liés au passé. Mais qui la gère ? L'inconscient, répond Freud sans étonner quiconque. Selon lui, en plus de la mémoire habituelle, celle qui enregistre l'information, la retient et la rend disponible pour plus tard, il existe une mémoire spécifique, propre à l'inconscient. C'est une « mémoire de l'oubli » au sens où les événements qu'elle enregistre semblent complètement oubliés par le sujet : celui-ci les refoule, surtout s'ils sont décisifs, en mettant en place des barrages qui empêchent qu'il s'en souvienne (et donc empêchent qu'il puisse vraiment les oublier).

Cette forme de mémoire, la seule à ne pas subir le dommage du temps qui passe, est celle qui donnerait au noyau inconscient son caractère inaltérable et définitif. On entrevoit là une sorte de paradoxe : ce qui est le plus décisif, ce qui s'inscrit de la façon la plus forte, ce qui ne subit pas l'usure normale du temps, à la différence des souvenirs que le sujet convoque sans difficulté, est ce qui apparaît comme « totalement » oublié.

Un physicien quantique dirait que cette mémoire de l'oubli est la « variable cachée » de notre psychologie. Elle y propage secrètement des déterminismes inapparents. Elle vient du passé mais continue d'agir en nous au présent, de parler en nous, à notre insu.

LE PHYSICIEN, LE ROMANTIQUE
ET LE JALOUX
OU LES DRAMES DE L'IMPOSSESSION

> *J'ai aimé des êtres, je les ai perdus.*
> *Je suis devenu fou quand ce coup m'a frappé,*
> *car c'est un enfer.*

Maurice Blanchot

> *Rapide, avec sa voix d'insecte, Maintenant*
> *dit : Je suis Autrefois et j'ai pompé ta vie avec*
> *ma trompe immonde !*

Charles Baudelaire

Avec le temps, tout ne s'en va pas, disions-nous auparavant, puisque les lois physiques qui régissent le monde sont supposées insoumises à l'histoire. Le physicien reconnaît volontiers qu'au-delà de l'efficacité qu'elles lui donnent il y a quelque chose de très platonicien dans sa façon de se servir des mathématiques. Les vérités intemporelles qu'il y puise semblent faire écho en lui à une certaine nostalgie de la fixité : les mathématiques ne viennent-elles pas doubler le réel qui est là, devant lui mais changeant et insaisissable, d'un arrière-monde explicatif peuplé d'entités impérissables ?

Si le physicien n'utilise que des stratégies qui se parfument à l'éternité, c'est bien parce que la réalité qu'il tente de saisir lui échappe : il ne parvient à comprendre le réel immédiat que pour autant qu'il le considère d'abord comme l'expression d'un autre réel, qui serait, lui, parfait et inaltérable. Se joue là une sorte de « drame de l'impossession », pour parler comme Clément Rosset [1] : l'évanescence constatée du réel se voit « sublimée » par l'invocation d'une intemporalité explicative, jugée plus fondamentale.

Cette démarche du physicien ne le rend pas spécialement original. Une même fascination pour l'immuable se retrouve dans diverses entreprises philosophiques, ou humaines, qu'il s'agisse de conjurer le temps qui passe, de saisir le donné rebelle à toute possession, de comprendre une réalité toujours changeante. Cette similitude ne relève pas du hasard, mais de la nécessité : pour que le monde nous soit compréhensible, il faut d'abord que nous y discernions des entités préhensibles, c'est-à-dire fixes. En somme, les idées et les concepts ne nous semblent acquérir de valeur que si nous pouvons les déduire d'une source invariable permettant de les « saisir » intellectuellement.

De ce point de vue, le physicien n'est pas sans rappeler le romantique et le jaloux, tous trois exprimant une certaine détresse de l'impossession. Celle-ci, pour le romantique, ne vient pas de ce que le temps se retire aussitôt après s'être donné, mais de ce qu'il ne se

---

1. Clément Rosset, *Le Monde et ses remèdes*, Paris, PUF, 2000, p. 143.

donne jamais, de même que l'impossession ressenti par le physicien vient de ce que les véritables clés d'explication du monde ne sont pas directement perceptibles dans le monde même. Mais le drame romantique, lui, se renouvelle, par construction, à chaque instant de la vie, car aucun n'est saisissable, mais tous nous consument. L'instant ne peut être capté, *alors même* qu'il est là, à notre portée. Le temps présent s'efface progressivement sous nos pas au moment même où il passe. De là l'importance symbolique que nous accordons aux commémorations et aux anniversaires de toutes sortes ? De là cette tentative d'installer des immobilités factices au sein du temps fuyant ? Les rites sont rassurants. De là aussi notre souci de la trace, nos legs, nos créations, toutes ces voies par lesquelles les vivants que nous sommes tentent vainement de se persuader qu'ils ont quelque emprise sur le temps. De là enfin et surtout la célébration de l'amour immortel comme parade au temps destructeur : « ce que j'ai aimé un jour, que je l'aie gardé ou non, je l'aimerai toujours [1] », déclare André Breton. Le temps a beau ne pas se donner à nous, nous clamons héroïquement qu'il ne pourra jamais démentir la vérité des événements et des sentiments qu'il a fait advenir [2].

1. André Breton, *L'Amour fou*, Paris, Gallimard, coll. « Folio », 1991, p. 171.
2. Ainsi le fameux « temps retrouvé » de Proust peut-il être interprété comme une délivrance vis-à-vis du mobile. La joie des réminiscences proustiennes est comme une plate-forme depuis laquelle nous pouvons enfin saisir les instants passés qui nous avaient échappé. En alliant la rêverie et la mémoire, elle offre une possibilité d'arrêt imaginaire, et peu importe que ce « balcon temporel » soit tout aussi illusoire que la fusion avec l'autre.

Autre drame de l'impossession, autre nostalgie du fixe, de l'arrêté, la jalousie amoureuse. Ce n'est sans doute pas un hasard si Marcel Proust a analysé avec la même acuité le rapport au temps, d'une part, le rapport à l'être aimé, d'autre part. Ne sont-ils pas semblablement structurés ? La jalousie amoureuse, du fait que l'être aimé n'est pas à soi, mais aussi qu'il ne peut être appréhendé en soi : le cœur ne possédant pas ce qu'il ne peut qu'aimer, nous ne connaissons jamais l'autre qu'en nous-mêmes, avec comme seul scalpel notre propre imagination (pour suivre Proust [1]), même si chaque nouvel amour laisse espérer à chacun qu'il va sortir enfin de soi pour entrer dans un autre cœur comme on entre dans une nouvelle vie.

Lorsqu'il est question de drames, tous les cumuls sont possibles. On doit donc pouvoir trouver d'excellents physiciens qui sont à la fois très romantiques et furieusement jaloux, et qui de plus ne gagnent jamais au tiercé.

---

1. « Je me rendais compte de tout ce qu'une imagination peut mettre derrière un petit morceau de visage », dit le narrateur de *La Recherche du temps perdu* (Marcel Proust, *Le côté de Guermantes, op. cit.*, p. 159).

LA PHYSIQUE AURAIT-ELLE
OUBLIÉ LA MORT ?

Je n'ai pas peur de mourir.
J'aimerais juste ne pas être là quand ça arrivera.
Woody Allen

Il te reste peu de temps.
Vis comme sur une montagne,
Ici ou là, c'est sans importance…
Marc Aurèle

Dans tout exercice de l'intelligence, on devine un effort pour contester ou défier le passage du temps. C'est qu'« il est de la nature de la raison, comme l'expliquait Spinoza avec juste raison, de percevoir les choses sous une certaine espèce d'éternité [1] ». L'intelligible et l'éternel semblent devoir toujours être associés l'un à l'autre. Mais c'est à propos de l'art que ce type d'association a été le plus souvent évoqué : il fut un temps où toute perfection d'ordre esthétique devait se lier à l'éternité par quelque rapport nécessaire.

1. Spinoza, *Éthique*, II, prop. 44, corollaire 2, Paris, Gallimard, coll. « Bibliothèque de la Pléiade », p. 638.

En la matière, la science a donc imité l'art : elle a voulu associer perfection et inaltérabilité. D'où provient la confusion ? Là encore, c'est Galilée qui nous met sur la voie : selon lui, notre goût pour l'inaltérabilité découle tout simplement de notre hantise de la mort. Cette idée lui vint après qu'il eut renoncé à la distinction aristotélicienne entre le monde local, supposé imparfait et corruptible, et le monde lointain, supposé parfait et incorruptible, composé d'une « quintessence » inaltérable. Ayant braqué sa lunette vers le ciel, il avait découvert le caractère accidenté de la surface lunaire, « inégale et recouverte, tout comme la face de la Terre, de hautes éminences, de profondes vallées et d'anfractuosités [1] ». La matière était donc partout la même, « terreuse » ici comme sur la Lune ou n'importe où ailleurs. Puisqu'elle obéissait partout aux mêmes lois, puisqu'elle était dégradable au ciel comme sur la Terre, il ne fallait envisager qu'une seule sorte d'Univers, composé d'une seule sorte de matière, partout corruptible. Galilée en déduisit qu'on avait eu tort d'associer inaltérabilité et perfection : ce qui est corruptible n'est pas pour autant imparfait.

Pour le père de la loi de la chute des corps, la cause de cet amalgame métaphysique était toute désignée : « Ceux-là qui exaltent si bien l'incorruptibilité, l'inaltérabilité, je crois qu'ils en viennent à dire ces choses à cause de leur grand désir de beaucoup survivre, et de la peur qu'ils ont de la mort. [...] Et il est hors de doute que la Terre est bien plus parfaite,

1. G. Galilée, *Le Messager des étoiles*, Paris, Seuil, 1991, p. 151.

étant, comme elle l'est, altérable, changeante, que si elle était une masse de pierre, et même rien qu'un diamant très dur et impassible [1]. » La mort serait-elle un autre habit du temps, le plus discret, mais aussi le plus trompeur de tous ? Son ultime sous-vêtement, en quelque sorte ?

La question se pose car le temps semble être à la fois ce qui fait durer les choses et ce qui fait que rien ne demeure définitivement : nous durons, nous durons, puis un jour, nous cessons de durer. Toute mort renvoie ainsi au phénomène de la fin (quelque chose se termine), mais aussi à la fin du phénomène (on ne sait pas ce qui se passe après), conjuguant le néant et l'inconnu. De là son infini mystère, pour reprendre les termes habituels. Nous comprenons la corruption, la transformation, la dissolution, nous saisissons que quelque chose peut subsister quand les formes passent, mais la mort tranche sur tout cela, qui demeure réfractaire à la pensée, à la science, au discours [2]. La physique, pour ce qui la concerne, semble ne rien pouvoir en dire. Trop soucieuse de lois immuables et de relations pérennes, trop attachée à la neutralité du temps, aurait-elle oublié la

1. G. Galilée, *Dialogue et lettres choisies*, Paris, P. H. Michel et G. De Stantillana, 1966, p. 37.
2. D'autant qu'en tant qu'expérience la mort est invivable : elle ne constitue pas un présent pour celui qui meurt, c'est-à-dire pour celui qui la « vit ». On se souvient du vieux truisme d'Épicure : « Quand tu es là, la mort n'est pas là ; quand elle est là, tu n'es pas là. » La mort advient en somme dans le temps comme une singularité destructrice de l'être hors de la durée même de l'être.

mort ? Ou l'aurait-elle d'emblée placée hors de son champ ?

Il existe une différence radicale entre la physique et la biologie, que soulignait Georges Canguilhem : « La maladie et la mort de ces vivants qui ont produit la physique, parfois en risquant leur vie, ne sont pas des problèmes de physique. La maladie et la mort des vivants physiciens et biologistes sont des problèmes de biologie [1]. » La physique a en effet limité ses ambitions et borné son domaine ; elle n'étudie la matière que dans ce qu'elle a d'inerte et suppose que tous les objets matériels qu'elle identifie, par exemple les atomes, ne sont pas eux-mêmes vivants, même lorsqu'ils appartiennent à un être vivant : où qu'ils soient, ce sont des entités sans vie, dont seule l'agglomération nombreuse et organisée a pu produire la vie. La vie ne serait en somme qu'une propriété émergente de la matière inerte. Cette hypothèse n'a rien de choquant : après tout, un ensemble d'atomes a en général des propriétés que les atomes n'ont pas eux-mêmes (ceux qui constituent une peinture rouge ne sont pas rouges [2]).

C'est grâce à ce type d'arguments qu'on est en droit de considérer que la matière vivante et la matière inerte, malgré leurs différences apparentes,

1. Georges Canguilhem, *Idéologie et rationalité dans l'histoire des sciences de la vie*, Paris, Vrin, 1981, p. 138.
2. Il y a plus de deux millénaires, alors que les atomes n'étaient encore que des entités métaphysiques, Lucrèce prétendait déjà qu'on peut rire sans être formé d'atomes rieurs et philosopher sans être formé d'atomes philosophes (Lucrèce, *De rerum natura*, II, 985-990).

sont régies par les mêmes lois physiques. On peut même ajouter que c'est du fait de l'organisation très particulière du vivant que l'application des lois physiques y produit des résultats très spécifiques. Seules changent les circonstances de leur mise en œuvre. Mais, sans revenir au vitalisme, on voit bien que la prétention de décrire la vie uniquement en disséquant les objets inanimés qui y contribuent risque d'être quelque peu simpliste. Le gène, la molécule et l'atome sont certes trois entités qui participent de la vie, mais leur connaissance, si élaborée soit-elle, n'est pas celle de la vie. La vie semble donc bénéficier d'une sorte d'extra-territorialité sinon de principe, du moins *de fait*, vis-à-vis de la physique. L'approche mécaniciste, qui détache et privilégie le seul substrat matériel, passe en tout cas « à côté » du vivant. Mais on voit surgir le dilemme : comment étudier le vivant en lui-même, c'est-à-dire indépendamment de la matière ?

« Réciproquement », si l'on peut dire, il est assez facile de trouver les raisons pour lesquelles la physique est mal à l'aise avec le vivant. Donnons-en trois. La première tient à la mécanique (le premier succès historique de la physique), fondée sur le principe d'inertie. Ce dernier met le mouvement de la matière à l'abri du pouvoir exécutif de la vie. L'inertie, c'est l'inactivité, l'inaltérabilité, l'indifférence. C'est également la neutralité du temps : le mouvement persiste à être ce qu'il est sauf si une force vient à le modifier. La vie, elle, est tout le contraire d'une relation d'indifférence avec le temps et avec le milieu, au point qu'un philosophe aussi rigoureux que Kant en était venu à identifier l'inertie de la matière à l'absence de vie [1]. On rétorquera : « Oui, mais la radioactivité, elle, réintroduit une temporalité dans la matière inerte ! » Certes, les atomes radioactifs finissent par « mourir » en se désintégrant en d'autres particules, mais de là à dire que leur mort est le résultat d'un processus de vieillissement, il y a un pas... qu'il ne faut surtout pas franchir. En effet, la probabilité qu'ils ont de disparaître durant un intervalle de temps donné est rigoureusement indépendante de leur âge : un atome de carbone 14 vieux de trois mille ans et un autre apparu il y a seulement cinq minutes ont rigoureusement la même probabilité de se désintégrer dans l'heure qui suit. Leur disparition n'est donc pas le résultat d'une quelconque altération de leur structure : ils meurent en ayant pris de l'âge, mais sans avoir vieilli [2]. Dans les systèmes vivants, il semble au

1. Kant écrit : « L'inertie de la matière n'est et ne signifie rien d'autre que *l'absence de vie* de la matière en soi. La vie, c'est le pouvoir qu'a une substance de se déterminer à agir en vertu d'un *principe interne* [...]. Or, nous ne connaissons en une substance pas d'autre principe intérieur pour changer son état que le *désir*, et d'une manière générale aucune autre activité intérieure que la *pensée*, avec ce qui en dépend, le *sentiment* de plaisir et de peine, l'appétit ou la volonté. Cependant ces principes de détermination et ces actions ne font pas partie des représentations des sens externes ni par conséquent des déterminations de la matière comme telle. Or, toute matière comme telle est privée de vie. » (Emmanuel Kant, *Fondements métaphysiques de la science de la nature*, trad. J. Gibelin, Paris, 1900, III, p. 130-131).

2. Un atome radioactif est un atome qui a emmagasiné trop d'énergie lors de sa formation. À un moment ou à un autre, il devra évacuer cet excédent en libérant des particules et en se transformant du même coup en un autre atome.

contraire qu'avec le temps les échanges avec l'extérieur deviennent moins efficaces, le renouvellement des cellules se ralentit, comme s'il y avait une certaine usure des mécanismes à l'œuvre. C'est du moins en ces termes que furent énoncées les premières théories du vieillissement biologique, qui ont eu le mérite d'en dégager un aspect essentiel : l'augmentation du taux de mortalité avec l'âge. À la différence des atomes radioactifs, notre probabilité de mourir varie au cours du temps. C'est même précisément le sens du mot « vieillir » [1].

La deuxième raison vient de ce que, comme nous l'avons vu, selon la physique d'aujourd'hui, tous les phénomènes ayant lieu au niveau microscopique sont réversibles, c'est-à-dire indifférents au sens d'écoulement du temps : tout ce qui se fait peut également être défait. À cette échelle, le passage du temps ne provoque rien d'inéluctable, ni raclures, ni rides, ni mort, de sorte que rien ne semble devoir vieillir.

1. Quelques chiffres suffisent pour démontrer que nous ne mourrons pas selon la même loi temporelle que les atomes radioactifs : si le taux de mortalité était constant dans l'espèce humaine, avec par exemple une demi-vie de 75 ans (qui est l'espérance de vie dans les pays développés), un quart de chaque classe d'âge atteindrait 150 ans et il resterait encore près d'une personne sur mille à 750 ans. On voit que l'écart avec la réalité est immense. Il s'explique par le fait que, pour nous, le taux de mortalité augmente avec l'âge. Notons que dans ce domaine la parité n'a pas cours : on compte en France sept à huit fois plus de femmes centenaires que d'hommes centenaires, ce qui semble donner raison à Pierre Dac lorsqu'il constate que « les femmes vivent plus longtemps que les hommes, surtout les veuves ».

La troisième raison, sans doute la plus fondamentale, tient à ce que la physique s'attache toujours à rechercher des relations invariables entre les phénomènes, des rapports soustraits au changement. Sa pente naturelle consistant à vouloir exprimer le devenir à partir d'éléments qui échappent au devenir, à raconter des histoires à partir de règles elles-mêmes sans histoire, on conçoit qu'elle peine à rendre compte d'un phénomène aussi violemment discontinu que la mort.

Pour ces raisons, l'extension des méthodes de la physique à l'étude du vieillissement – et du vivant en général – ne peut que susciter de farouches résistances. Ces dernières, qui expriment une réticence d'ordre affectif à toute mécanicisation du vivant, traduisent surtout le scepticisme à l'égard d'un espoir paradoxal, celui d'expliquer un phénomène au moyen de lois construites à partir d'hypothèses qui le nient.

Quelques pistes existent toutefois. Nous avons déjà évoqué le fait que certains changements physiques spontanés se déroulent plutôt dans le sens de la destruction et du désordre : tout ensemble d'objets, qu'il s'agisse d'atomes ou de galaxies, cherche en effet à occuper au maximum l'espace dont il dispose, compte tenu des interactions qui existent entre ces objets. Les structures initialement ordonnées en son sein finissent par disparaître. C'est en tout cas ce que prévoit le deuxième principe de la thermodynamique, qui énonce que l'entropie d'un système *fermé* ne peut que croître.

Mais en toute rigueur ce principe ne peut s'appliquer aux cellules vivantes, car ces dernières sont, comme tous les organismes vivants, des systèmes ouverts et non fermés : elles échangent de la matière et de l'information avec leur environnement, incorporent des éléments extérieurs, renouvellent leur substance, qui est ainsi beaucoup plus jeune que l'organisme lui-même, réagissent aux agressions et guérissent spontanément de certaines maladies. Elles sont donc en lutte permanente contre le destin de désorganisation universelle que leur promet, lorsqu'il leur est imprudemment appliqué, le second principe de la thermodynamique.

La physique a donc eu raison de limiter ses ambitions. D'abord et surtout parce qu'elle a su convertir sa modestie en puissance d'intelligibilité, qui s'étend depuis l'échelle des quarks jusqu'à celle des amas de galaxies. Ensuite parce que, comme nous venons de le montrer, elle perd de sa superbe lorsqu'on veut la faire intervenir hors du domaine dans lequel elle s'était initialement cantonnée. Mais gardons-nous de conclure trop vite : les difficultés que nous avons évoquées pourraient être dépassées un jour, notamment grâce aux ponts de plus en plus nombreux qui sont aujourd'hui jetés entre la physique et la biologie. Mieux vaut donc considérer que la question de savoir si les caractères des êtres vivants sont *in fine* réductibles à des lois physiques « élargies » reste ouverte. Mais cela impose aussi de prendre acte du fait que tant qu'on n'aura pas tranché cette question la mort demeurera le grand « impensé » de la physique. Nous devrons donc nous passer de cette dernière pour expliciter le lien que la mort tisse avec le temps.

En apparence, la mort advient comme un effet du temps. Elle l'habille, pour nous, de finitude. De là à penser que le temps est, sinon la mort même, du moins son vecteur, que c'est elle qui détermine sa structure et qu'il faut donc penser le temps à partir de la mort et non l'inverse, il n'y a qu'un pas que de nombreux philosophes ont franchi. La perspective de la mort n'habite-t-elle pas la vie même ? Ne met-elle pas en œuvre, *pour nous*, une temporalité finie ? Sans doute, et c'est ce qu'avait bien vu Montaigne : « Vous êtes en la mort pendant que vous êtes en vie. » Mais Heidegger est venu radicaliser cette conception à l'extrême. Selon lui, la mort constituerait la source de toutes nos représentations ordinaires du temps, pour la simple raison qu'elle empêcherait de le situer dans un ordre plus vaste [1]. Le temps ne serait donc que l'autre nom de la mort, un nom moins angoissant, plus neutre, une ultime ruse par laquelle nous parvenons à réduire la puissance affective du mot « mort ». À l'en croire, le temps ne serait finalement rien d'autre qu'un masque de la mort, plus vivace qu'elle, seulement destiné à la rendre verbalement présentable et intellectuellement admissible.

Cette conception ne manque pas d'arguments. L'idée de la mort a sans conteste un impact sur notre temps humain, plus exactement sur notre perception humaine du temps : c'est elle qui lui donne cette odeur de sapin si particulière, ce parfum diffus qui imprègne toutes nos réflexions sur le temps, comme si nous ne pouvions le penser hors de l'anéantissement

1. La finitude du fameux *Dasein* – « l'être de cet étant que nous connaissons comme vie humaine » – serait le fondement même de son existence et non un accident de son essence immortelle. En somme, l'homme se donnerait à lui-même son temps du fait qu'il va au-devant de sa propre mort, qu'il est continuellement en attente de la mort.

imparable qu'il nous promet. Nous avons beau savoir qu'elle n'est pas la fin du temps, mais simplement la fin de la durée d'un être dans le flux ininterrompu du temps, la mort fait écran. Certes, nous disposons de maintes stratégies, plus ou moins efficaces, nous permettant de ne pas trop sentir son ombre. Il y a celle de l'enivrement et de la griserie suggérée par Baudelaire [1]. Nous pouvons également faire des enfants, qui eux-mêmes en feront, acquérir notoriété ou gloire, nous anesthésier d'occupations multiples, gravir d'improbables sommets, vaincre aux jeux dynamiques, investir dans la pierre ou, si l'on est un homme riche, épouser sur le tard une très jeune femme. Tout cela nous permet d'oublier provisoirement, dans l'illusion de durer presque infiniment [2] ou de persister par procuration, de faire face à notre destin de mortel. Mais la mort gagne toujours, haut la main. Avec elle, aucun leurre n'aboutit jamais. Ses registres sont complets, toujours à jour. Elle n'oublie jamais personne, ni les nababs ni les esclaves, ni les arrogants ni les humbles, comme si un sympathique communisme d'outre-tombe devait opposer l'égalité des cadavres à l'inégalité des vivants.

Alors, face à ce mur temporel inévitable, comment se tenir ? Craindre et s'épouvanter sans limite, s'indigner, crier au scandale à l'idée de ne pas voir le cou-

---

1. « Pour ne pas sentir l'horrible fardeau du Temps qui brise vos épaules et vous penche vers la terre, il faut vous enivrer sans trêve. Mais de quoi ? De vin, de poésie ou de vertu, à votre guise. Mais enivrez-vous ! » (Charles Baudelaire, « Enivrez-vous », poème XXXIII, *Le Spleen de Paris*, Paris, Flammarion, coll. « GF-Flammarion », 1987.)

2. L'ennui, évidemment, c'est que « presque infini » signifie en fait « pas infini du tout ».

cher du soleil ; se figer, se rapetisser et ainsi mourir avant que d'être mort ; vivre comme si l'on ne devait jamais mourir, émettre des chèques en blanc comme si l'on disposait de l'éternité, « bagatelliser » la mort en l'imaginant retirée dans un ciel très lointain ou retranchée dans une cave à l'autre bout du monde.

Mais je peux *tout aussi bien* trouver quelque douceur à me dire qu'un jour je ne serai plus, et considérer ce nouveau matin comme une grâce qui m'est offerte. Tout instant vécu, dès lors qu'il se détache du fond obscur de la mort, ne prend-il pas aussitôt de l'éclat ? En gardant la vie dans la finitude, la mort nous abandonne à notre grandeur obligatoire. Elle nous rend précieux, pathétiques, émouvants : nul acte accompli qui ne puisse être le dernier, nul visage qui ne soit menacé à l'instant d'apparaître. Mais l'avenir ne se réduit pas pour autant à l'imminence de la mort. Elle n'est qu'un moment du futur, pas un habit du présent. Alors, plutôt que de penser le temps d'après elle, mieux vaut la penser d'après le temps et pour ce qu'elle est : un événement à venir *dans* le temps.

Mieux vaut s'en tenir à une diététique de l'instant qui passe, se fier à la faveur du moment, au *kairos*. Je vais mourir. Soit ! C'est donc le moment ou jamais d'entrer dans l'existence, de coloniser l'éphémère. La nuit viendra bien assez tôt. Ces heures, ces minutes, ces secondes sont des événements. Événements dérisoires ? Admettons. Mais ce « dérisoire », ce fut, c'est et ce sera très exactement moi.

Il faut apprendre à aimer l'irréversible.

Paris, le 7 décembre 2002

BIBLIOGRAPHIE

Saint Augustin, *Confessions*, trad. L. de Mandadon, Paris, Seuil, 1982.

G. Bachelard, *L'Intuition de l'instant*, Paris, Stock, 1992.

G. Bachelard, *L'Activité rationaliste de la physique contemporaine*, Paris, PUF, 1965.

G. Bachelard, *La Dialectique de la durée*, Paris, PUF, 1972.

R. Balian, *From Microphysics to Macrophysics*, Springer Verlag, 1992.

F. Balibar, *Galilée, Newton lus par Einstein*, Paris, PUF, 1984.

F. Balibar, *Einstein. La joie de la pensée*, Paris, Gallimard, coll. « Découvertes », 1993.

F. Balibar, *Einstein 1905. De l'éther aux quanta*, Paris, PUF, 1992.

H. Bergson, *Durée et Simultanéité*, Paris, PUF, 1972.

J.-M. Besnier, *Histoire de la philosophie moderne et contemporaine*, Paris, Grasset, 1993.

J. Bollack, H. Wismann, *Héraclite ou la Séparation*, Paris, Éditions de Minuit, 1972.

D. Bourg, J.-M. Besnier (dir.), *Peut-on encore croire au progrès ?*, Paris, PUF, 2000.

P. Boutang, *Le Temps. Essai sur l'origine*, Paris, Hatier, 1993.

L. Brisson et F. Meyerstein, *Inventer l'Univers*, Paris, Les Belles Lettres, 1991.

J. Brun, *Les Présocratiques*, Paris, PUF, 1982, 3e éd.

J. Brun, *Héraclite ou le philosophe de l'Éternel Retour*, Paris, Seghers, 1965.

A. Comte-Sponville, *L'Être-temps*, Paris, PUF, 1999.

M. Conche, *Temps et Destin*, Paris, PUF, 1992.

M. Conche, *L'Aléatoire*, Paris, PUF, 1999.

F. Dagognet, *Réflexions sur la mesure*, Paris, Encre marine, 1993.

Th. Damour, J.-C. Carrière, *Entretiens sur la multitude du monde*, Paris, Odile Jacob, 2002.

F. Dastur, *Dire le temps*, Paris, Encre Marine, 2002.

L. De Broglie, *La physique quantique restera-t-elle indéterministe ?*, Gauthier-Villars, 1953.

J. Demaret, D. Lambert, *Le Principe anthropique. L'homme est-il le centre de l'univers ?*, Paris, A. Colin, 1994.

J.-T. Desanti, *Réflexions sur le temps*, Paris, Grasset, 1992.

B. Diu, *Les atomes existent-ils vraiment ?*, Paris, Odile Jacob, 1997.

P. Duhem, *La Théorie physique*, Paris, Vrin, rééd. 1981.

J. Dumont, *Les Écoles présocratiques*, Paris, Gallimard, coll. « Folio », 1991.

J.-P. Dupuy, *Pour un catastrophisme éclairé. Quand l'impossible est certain*, Paris, Seuil, 2002.

J. Eisenstaedt, *Einstein et la relativité générale*, Paris, CNRS Éditions, 2002.

N. Elias, *Du temps*, Paris, Fayard, 1997.

Galilée, *Dialogue sur les deux grands systèmes du monde*, trad. R. Fréreux avec l'aide de Fr. De Gandt, Paris, Seuil, 1992.

Galilée, *Le Messager des étoiles*, trad. F. Hallyn, Paris, Seuil, 1992.

A. Leroi-Gourhan, *Le Fil du temps*, Paris, Fayard, 1983.

N. Grimaldi, *Ontologie du temps*, Paris, PUF, 1993.

N. Grimaldi, *L'Homme disloqué*, Paris, PUF, 2001.

J. Guitton, *Justification du temps*, Paris, PUF, coll. « Quadrige », 1993.

E. Gunzig, S. Diner (dir.), *Le Vide, univers du tout et du rien*, Bruxelles, Complexes, 1998.

S. Hawking, *Une brève histoire du temps*, Paris, Flammarion, 1989.

S. Hawking, *Commencement du temps et fin de la physique ?*, Paris, Flammarion, 1992.

S. Hawking et R. Penrose, *La Nature de l'espace et du temps*, Paris, Gallimard, 1997.

P. Janet, *Évolution de la mémoire et de la notion de temps*, Paris, 1928.

F. Jullien, *Du « temps », Éléments d'une philosophie du vivre*, Paris, Grasset, coll. « Le Collège de philosophie », 2001.

M. Kistler, *Causalité et lois de la nature*, Paris, Vrin, 2000.

E. Klein, *Conversations avec le sphinx, les paradoxes en physique*, Paris, « Le Livre de Poche », 1994.

E. Klein, *L'Unité de la physique*, Paris, PUF, 2000.

E. Klein, M. Spiro, *Le Temps et sa flèche*, Paris, Flammarion, coll. « Champs », 1994.

A. Kojève, *L'Idée de déterminisme dans la physique classique et dans la physique moderne*, Paris, « Le Livre de Poche », 1990.

T. S. Kuhn, *La Structure des révolutions scientifiques*, Paris, Flammarion, 1972.

M. Lachièze-Rey, *Au-delà de l'espace et du temps, la nouvelle physique*, Paris, Le Pommier, 2003.

M. Lachièze-Rey, *Initiation à la cosmologie*, Paris, Masson, 1996.

M. Lachièze-Rey, E. Gunzig, *Le Fond diffus cosmologique*, Paris, Masson, 1996.

M. Lachièze-Rey, J.-P. Luminet, *Figures du ciel*, Paris, Seuil/BNF, 1998.

D. Lambert, *Un atome d'Univers, la vie et l'œuvre de G. Lemaître*, Bruxelles, Racines, 1999.

D. Lecourt, *Contre la peur. De la science à l'éthique. Une aventure infinie*, Paris, Hachette, 1990.

E. Levinas, *Le Temps et l'Autre*, Paris, PUF, coll. « Quadrige », 1991.

J.-P. Luminet, *Les Trous noirs*, Paris, Belfond, 1987.

J.-P. Luminet, *L'Univers chiffonné*, Paris, Fayard, 2001.

J. Merleau-Ponty, *Cosmologies du XXᵉ siècle*, Paris, Gallimard, 1965.

J. Merleau-Ponty, *Einstein*, Paris, Flammarion, 1993.

G. Moutel, *Le Temps des uns, le Temps des autres*, Paris, Éditions lpm, 2002.

B. Piettre, *Philosophie et Science du temps*, Paris, PUF, coll. « Que sais-je ? », n° 2 909, 1994.

Platon, *Timée*, trad. A. Rivaud, Paris, Les Belles Lettres, 1963.

I. Prigogine, I. Stengers, *Entre le temps et l'éternité*, Paris, Fayard, 1988.

L. Robert, *Vieillissement du cerveau et démences*, Paris, Flammarion, 1998.

L. Robert, *Les Temps de la vie*, Paris, Flammarion, 2002.

G. Smoot, *Les Rides du temps*, Paris, Flammarion, 1994.

J.-Y. et M. Tadié, *Le Sens de la mémoire*, Paris, Gallimard, 1999.

K. Thorne, *Trous noirs et distorsions du temps*, Paris, Flammarion, coll. « Champs », 1997.

J.-P. Verdet, *Une histoire de l'astronomie*, Paris, Seuil, coll. « Points Sciences », 1990.

S. Weinberg, *Les Trois Premières Minutes de l'univers*, Paris, Seuil, 1978.

L'auteur tient à exprimer sa très vive reconnaissance à Sylvie Fenczak pour ses conseils avisés et son aide si précieuse. L'esprit de ce livre lui doit beaucoup.

Achevé d'imprimer en avril 2006
sur les presses de l'imprimerie Maury Eurolivres
45300 Manchecourt

N° d'éditeur : FH010508.
Dépôt légal : octobre 2004.
N° d'impression : 06/04/121373.

Imprimé en France